Einaudi. Stile libero Big

Giancarlo De Cataldo
Onora il padre
Quarto comandamento

Einaudi

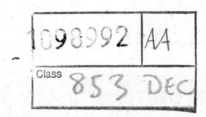

Questo libro è stato stampato su carta ecosostenibile CyclusOffset, prodotta
dalla cartiera danese Dalum Papir A/S con fibre riciclate e sbiancate senza uso di cloro.
Per maggiori informazioni: www.greenpeace.it/scrittori

© 1999 by Giancarlo De Cataldo
Published by arrangement with
Agenzia Letteraria Roberto Santachiara

© 2008 Giulio Einaudi editore s.p.a., Torino
www.einaudi.it

ISBN 978-88-06-18695-1

Onora il padre

Nota dell'autore.

Questo romanzo nasce dall'incontro con Fausto Brizzi e Marco Martani intorno all'anno 2000. Scoprimmo di avere in comune una perversa passione per i serial killer, allora abbastanza di moda ma non già cosí popolari e «saccheggiati» come in tempi piú recenti. Dall'elaborazione comune nacque una sceneggiatura, diventata in seguito una miniserie Tv per la regia di Giampaolo Tescari. Giudicato forse troppo «forte», il film fu trasmesso nel 2003 su Retequattro, in coincidenza con una partita di Coppa della Roma. Nel frattempo, mi ero fatto autorizzare da Fausto e Marco a elaborare una versione narrativa di *Onora il padre*, poi pubblicata, con lo pseudonimo di John Giudice, nel Giallo Mondadori.

Delle riunioni di sceneggiatura con Brizzi e Martani conservo un ricordo estremamente piacevole. Voglio qui nuovamente ringraziarli e dedicare loro questa nuova versione, «riveduta e corretta», della storia.

Nonostante il riscaldamento, il gelo umido della notte è riuscito a infiltrarsi nel piano alto di questo vecchio albergo che nasconde dietro stucchi pretenziosi il suo inevitabile decadimento. Il mare è una tavola nera lacerata da una lama di luna giallognola. La grande spiaggia è bianca, deserta. Niente ombrelloni, niente sdraio. Adoro l'inverno. Nel freddo Rimini diventa persino sopportabile. Il freddo parla al mio cuore. Scosto la tenda di fine, robusta stoffa color cremisi e socchiudo con cautela i battenti della finestra, spinto da un improvviso desiderio di ascoltare il confortevole ritmo della risacca. Ma la musica alle mie spalle sembra voler combattere contro il dolce suono. Vagamente risentito, mi affretto a spegnere il Cd. E subito lei lascia partire una specie di singhiozzo contenuto. Brandisco il martello che sul manico poroso ha trattenuto rade goccioline di sangue e lo agito su quella sua massa informe che non cessa di contorcersi. Il singhiozzo si sta rapidamente mutando in una sorta di ululato bestiale.

È evidente che questa donna sprezzante non ha nessun rispetto per la mia sensibilità. Mi chino su di lei, le afferro i lunghi capelli rossi, appena un paio di strattoni, per farle capire quanto sarebbe opportuno un intervallo di silenzio. Il tenue profumo fruttato che mi aveva piacevolmente gratificato quando l'avevo sorpresa fresca di doccia è stato purtroppo sopraffatto dall'inevitabile, acre afrore della paura. Prima di ritrarmi, offeso dall'intollerabile cantilena di gemiti che le squassa il piccolo seno che mai sarà materno, le sussurro che è stato il suo stile di vita a condannarla.

– Hai corso troppo, – cerco di spiegarle, paziente a onta del cre-

scente disgusto che mi sta invadendo. – Hai perso di vista le cose importanti, ciò per cui vale la pena di vivere. La futilità dei tuoi giorni veloci esige una sanzione, e io sono colui che è stato incaricato di comminartela.

Parole al vento. Possibile che non capisca? Possibile che nessuna di loro, nemmeno nell'istante supremo, riesca a ritrovare un barlume di coscienza?

Riaccendo il Cd. A tutto volume. In questi alberghi signorili, che l'inverno avvolge in una sapiente bolla d'insensibilità, il rispetto della privacy è una religione dalle regole indefettibili. La rigorosa osservanza del proprio spazio vitale. L'asettico non-coinvolgimento, il distacco dal prossimo. L'abbandono degli inermi.

Poso il martello sul divano foderato di chintz e preparo la siringa. Dovrò anche ricordarmi di passarle un altro giro di nastro intorno alle mascelle: se crede che non mi sia accorto di come sta tentando di lacerarlo dall'interno, con quei suoi denti perfetti che devono aver incantato chissà quanti amanti...

Dopo l'iniezione, i suoi muscoli si rilassano. È ancora cosciente, ovvio, ma l'ottundimento la rende meno riottosa, piú disponibile.

Nel frigo-bar è schierato al gran completo l'arsenale della grassa contemporaneità: cioccolatini al caffè, arachidi, succhi di vario genere, collezione di superalcolici in formato mignon, l'immancabile bottiglia da un quarto di champagne. Dovunque disordine, crapula, l'ossessione del futile.

Torno alla finestra. Spalanco i battenti. Lungo la fettuccia di strada che mi separa dal mare arranca sbuffando un mezzo della nettezza urbana. Ecco, si ferma davanti a un cassonetto stracolmo degli scarti dell'umano genere.

Due uomini lo afferrano, in religioso silenzio, ciascuno lo solleva dal lato che a ciascuno è assegnato nell'ordine del mondo.

Il lento lavoro dei netturbini è qualcosa che rinfranca l'anima. Il mondo ha un disperato bisogno di pulizia e di riscoprire il suo giusto ritmo. Il giusto ritmo è tutto. Il giusto ritmo fu imposto dai Padri. Il giusto ritmo determina l'Onore e il Castigo.

Basta parole, basta pensieri. Ciò che il momento esige è la massima concentrazione. Lo specchio rimanda l'immagine di un maturo hippie dalla lunga chioma bionda trattenuta da una variopinta bandana. Un travestimento come un altro, ma non certo un inganno: perché chiunque io sia stato, chiunque sia destinato a essere in futuro, in questo qui e ora non sono altro che l'esecutore designato.

Scatto un paio di foto per l'archivio di G. I led del display danzano in un luminoso contrappunto ai bassi profondi. È una musica ormai antica, appartiene a un'epoca in cui andava di moda promettere una realtà fatta di sogni.

C'era chi, ascoltando motivi di questo genere, si illudeva di viaggiare.

Ma non ci sono sogni, in questo qui e ora. E il viaggio che attende Francesca è senza ritorno.

Qui, e ora, è il tempo del martello e della cera rovente.

Do fuoco al bastoncino d'incenso e procedo.

Osservare, repertare, intuire la possibile dinamica del fatto, mettere in ordine le prove in modo da presentare una convincente relazione al sostituto procuratore di turno. Questo il compito di un funzionario della Scientifica. E badare, naturalmente, che quei casinisti della Mobile non ficchino le mani dappertutto, inquinando allegramente per la goduria del foro, sempre sul piede di guerra contro le *défaillances* e i complotti delle quanto mai sospette forze dell'ordine. Lavorare sul campo e di testa, insomma. E quel poco tempo che avanza da dedicare alla vita, spenderlo in solitudine, a cancellare con amarezza il sapore del male che ti resta attaccato addosso come una pelle di scorta.

Con gli occhi gonfi nascosti dalla visiera del casco e un cattivo sapore in bocca, il commissario Matteo Colonna si lasciava trascinare verso casa dal traffico del mattino. Notte di servizio. Notte dura. Prima c'era stato il rumeno di viale Zara, ucciso a bastonate nel corso di una rissa per l'occupazione di un'ex tipografia adibita a dormitorio. Poi la prostituta marocchina di via Napo Torriani: sedici coltellate, regolamento di conti. Infine il ragioniere di piazzale Loreto, ottantadue anni, che aveva scaricato la doppietta nella schiena della moglie, settantadue anni, rea di intendersela con il droghiere, sessantaquattro anni.

Notte di febbraio. Notte milanese di ordinaria follia.

Cielo grigio, pioggerellina unta di benzene e macchine blu con scorta e sirene che scorrazzavano lungo via Melchiorre Gioia lo accolsero al parcheggio delle moto sotto casa. Giorno di febbraio. La consueta sinfonia milanese di febbraio.

Nel Vip's Bar Salah, il barman nubiano, pregava inginocchiato sul tappetino rivolto alla Mecca. Matteo scambiò due battute con Ramon, il cileno, che si esercitava al biliardo nella vana speranza di riuscire a sconfiggere almeno una volta nella vita Miguel, il peruviano possessore di innumerevoli colpi segreti, tutti vincenti.

Ultimata la preghiera, Salah gli servì un caffè americano amaro e un toast al formaggio. Ramon lo prese sottobraccio, indicando Salah.

– Prima venuti due ragazzotti. Sai, quelli con faccia di bravi ragazzi, scarpe a punta, il giubbotto di pelle e capelli molto corti...

– Conosco il tipo.

– Hanno detto che qui la birra puzza di piscio. Io ho detto che Milano è piena di bar. Ho detto: se non vi piace questo posto, andate da altra parte.

– E loro?

– Loro dice: Milano è piena di marocchini.

– E Salah? Che ha fatto Salah?

Ramon si strinse nelle spalle.

– Chiedilo a lui.

Il nubiano allargò le braccia e sorrise.

– Io ho detto: questa birra offre la casa, adesso, per favore, andate.

– Perché, Salah?

– Sai com'è: padrone non vuole storie... comunque, sono andati via.

– Salah, sei un cacasotto. Coi fascisti non si deve avere pietà. Se c'era Matteo, gli faceva vedere lui! – insistette Ramon.

– Sí, come fatto tu a tuo paese, e siete finiti in stadio, con donne e bambini!

Discutevano, i due ospiti della generosa terra padana, sempre piú accalorato il sanguigno latino, algido, e ironico l'arabo. Matteo si guardò bene dall'intervenire. Gli sarebbe piaciuto condividere la fede di Ramon nelle soluzioni di forza. Ma non era cosí. Meglio, allora, non esserci, a volte. Meglio non deludere chi ha fiducia in te. E poi Salah non aveva tutti i torti. Il bar era già stato incendiato una volta, con annesso contorno di svastiche e scritte in vernice nera: omaggio della metropoli cosmopolita ai suoi fratelli immigrati.

– Che vuoi fare, Ramon? – concluse Salah. – *Mafish muske-la*, cosí va il mondo...

Già, cosí va il mondo. Male va il mondo. Anche per *Greta, l'astrocartomante dei tuoi sogni* che l'accolse sul pianerottolo del mezzanino con due occhiaie sbattute e il kimono cascante sul minuscolo seno.

– C'è la polizia, Matteo.

– Sono io la polizia, Greta.

– Be', tu sei meglio, comunque. C'è uno su da te. Una brutta faccia. Pensa che ha bussato qui da me alle nove e un quarto. L'avevo scambiato per un cliente...

– Certe cose non dovrei nemmeno saperle...

– Non le sai, caro mio, ti assicuro che non le sai!

Ad attenderlo, impalato davanti all'uscio, c'era il collega Pompei, galoppino ufficiale del questore Nassi. Una carriera costellata di mirabolanti circolari e ordini di servizio.

– Finalmente, Colonna! Ma che fai?

– Entro nella mia casa, se non ti dispiace. Poi mi farò una doccia e poi cinque, sei ore di sonno.

– Non se ne parla nemmeno. Sei in partenza, bello. Ordine del questore in persona. Pensa che per spedirmi qui da te... ed è un'ora che ti aspetto, un'ora... ha interrotto il briefing con quelli dell'Antidroga. Stiamo per chiudere una grossa operazione. Oh, Colonna... ti mettono persino a disposizione l'elicottero!

– Di che si tratta?

– Omicidio. La vittima è una certa Francesca Maltese, una ricca, pare. Non so altro. Portati la valigia grande, Colonna. Potrebbe anche essere una cosa lunga.

– Destinazione?

– Rimini... ma che ti prende, Colonna? Non ti senti bene?

Era impallidito. Come se gli avessero affondato un pugno nella bocca dello stomaco. Pompei si affrettò a sorreggerlo.

– Nessun problema. È stata una notte assurda, scusami...

Mentre cercava conforto in una doccia bollente, mentre preparava il borsone con un po' di roba e l'attrezzatura da lavoro, e per tutto il tempo che impiegarono a raggiungere l'eliporto militare, Pompei lo torturò di domande e di pettegolezzi. Alle une e agli altri Matteo rispondeva con scontrosi monosillabi. Ma niente pareva smontare l'inossidabile portaborse.

Come minimo, Pompei avrebbe scritto otto cartelle di relazione di servizio soffermandosi sullo *strano comportamento* del commissario Colonna.

L'elicottero scaldava i motori su una pista periferica battuta dal vento. Il pilota salutò con deferenza i due funzionari. Alle 11.18 Matteo allacciò le cinture e calzò le cuffie del walkman. Nei momenti di relax si divertiva ad assemblare compilation di propria mano: per questo viaggio che lo stava riportando dove non avrebbe mai voluto ritrovarsi aveva scelto molto jazz, rap e vecchie canzoni francesi. Sperava che la musica lo aiutasse a dimenticare Rimini, e quel grumo di dolore che si stava pericolosamente attaccando al trigemino.

L'elicottero si alzò in volo. Matteo schiacciò il tasto play e dal Cd masterizzato si levò la voce profonda e ironica di Charles Trenet: «La pendule fait tic tac tic tac, les oiseaux du lac pic pac pic pac, glu glu glu faisent tout les dandons et la jolie cloche fait dindandon... mais bum! Quand notre coeur fait bum... tout avec lui dit bum... et c'est l'amour qui s'éveille!»

Un poliziotto è sempre in servizio, sempre a disposizione. Di tutte le città, il destino gli aveva riservato proprio Rimini.

La musica non gli dava nessuna consolazione, il pensiero di sua madre, dei lontani anni felici era come una tortura. Rimini!

– Ora si balla! – urlò allegramente il pilota.

Un tuono lontano rimbombava sullo sfondo delle nubi che si andavano addensando. Rimini. Ironia della sorte: Charles Trenet continuava a cantare la poesia del temporale: «Tutto è cambiato da ieri e la strada ha tanti occhi affacciati a guardare... vedi i lillà e vedi le mani tese...»

Atterrarono su un piazzale sterrato ai margini della spiaggia. Matteo salutò con un cenno della mano il pilota e saltò giú col borsone a tracolla, chinandosi per evitare le pale. L'elicottero ripartí immediatamente. L'impetuoso vento di maestrale spazzava il porticciolo, deserto di barche tirate in secca in un concerto di bandiere sbattute e di gemiti di palanche accatastate agli angoli dei capanni di rimessaggio. Per il momento, niente pioggia. Il cielo, plumbeo, era il gemello di quello di Milano.

Ma l'odore del mare lo fece rabbrividire, e c'erano, nei brividi, il timore di una rivelazione e il piacere di una riscoperta.

A pochi metri sulla sinistra un'insegna trasversale annunciava l'Hotel Kursaal, quattro stelle. Un gruppetto di agenti in divisa stazionava accanto a una volante con il lampeggiante acceso e le portiere aperte. Matteo si avviò verso di loro. Dal gruppetto si staccarono un quarantenne alto e una bella donna dai capelli color del grano.

– Il commissario Colonna? La stavamo aspettando. Sono l'ispettrice Rubino. Lui è l'agente Ippoliti. Venga, le faccio strada.

Matteo scambiò una stretta di mano con l'ispettrice e consegnò il borsone all'agente, che lo depositò nella volante.

Da un passo carrabile in discesa entrarono nel garage.

– Fuori è pieno di giornalisti, – lo informò l'ispettrice. – Girando da questa parte, li prendiamo alle spalle.

Il garage era semideserto e puzzava di olio e di pneumatici. Un ascensore tappezzato di istruzioni antincendio e tariffari li condusse direttamente nella hall.

– Ippoliti, vammi a chiamare Fernandez, per favore, – disse l'ispettrice.

Matteo ne approfittò per guardarsi intorno. La vasta sala, scintillante di luci e specchi, era presidiata dai poliziotti. Le porte a vetri, minacciosamente sbarrate, tenevano fuori portata i curiosi e i rumori della strada. Tutto era avvolto in un'atmosfera di morbida tensione.

Gli unici a non portare una divisa erano l'impiegato della reception, uno sbarbatello dall'aria stranita che rispondeva a getto continuo agli incessanti squilli del telefono, e una famigliola di tedeschi, con codazzo di bambini biondissimi e compostissimi, che probabilmente stavano maledicendo il momento in cui si erano decisi a quell'avventura turistica fuori stagione.

Matteo avrebbe dovuto odiare gli alberghi. Ma ogni volta che ci metteva piede, non riusciva a sottrarsi al fascino dell'odore di precarietà che faceva vibrare dentro di lui corde antiche.

Alberghi, stazioni, aeroporti... luoghi di passaggio, insomma: fosse dipeso da lui, vi avrebbe consumata tutta la vita in un'ininterrotta sospensione del tempo.

Chissà se anche quell'assassino al quale lo chiamavano a dare la caccia aveva provato, nella sua esistenza, sensazioni simili. Chissà se era anche lui un uomo solo che stava disperatamente cercando qualcosa?

– Colonna? Ciao, sono Roberto Fernandez. Scientifica.

Un ragazzo in giacca e cravatta, con una massa di capelli rossi ribelli e un forte accento romagnolo, un viso aperto, leale, persino sbarazzino. Matteo sorrise e ricambiò la sua decisa stretta di mano.

– Sai già di che si tratta?

– Conosco solo il nome della vittima.

– Già. Francesca Maltese, trentasette anni, metà degli uffici del Centro-Nord sono arredati con i suoi mobili, ma tutti i suoi miliardi non le sono serviti, poveraccia...

Mentre salivano in ascensore al secondo piano, Fernandez gli spiegò che la Maltese era a Rimini per un congresso.

– Stanotte qualcuno è entrato nella sua stanza e... che vuoi che ti dica? Tu magari ci sei abituato, ma io non avevo mai visto niente del genere...

Il corridoio del secondo piano era deserto. Altri agenti in divisa presidiavano le opposte estremità della passatoia rossa che correva tra due pareti imbruttite da una pretenziosa carta da parati verdina.

Una porta alla loro destra si spalancò. Ne uscí un cinquantenne dall'aria sgualcita, faccia lunga e occhio torvo, cravatta in disordine, sigaro spento tra le mascelle amare: look da vecchio poliziotto che ne ha viste troppe e ormai non si stupisce piú di nulla. Si guardò intorno, poi si diresse con piglio deciso verso Matteo e Fernandez.

– Ah, sei qua tu, Roberto.

– Capo, vorrei presentarti...

L'uomo squadrò Matteo come se si fosse accorto solo in quel momento della sua presenza.

– Sí, ho capito, questo è il milanese... Scusaci se mentre ti aspettavamo abbiamo cominciato a lavorare!

Fece dietrofront e rientrò nella stanza lasciandosi alle spalle una specie di grugnito e un forte odore di tabacco. Fernandez tossicchiò.

– Hai appena conosciuto Prosperi, il grande capo. Non è sempre cosí di buon umore...

Matteo abbozzò un sorrisetto.

– Ci sono abituato. Impareremo a sopportarci.

Prosperi si riaffacciò sulla soglia.

– Allora? Ci facciamo portare il tè coi biscottini o vogliamo metterci al lavoro?

Fernandez allargò le braccia.

– Benvenuto a bordo!

La suite Imperiale del Kursaal, ultima dimora terrena di Francesca Maltese, consisteva in un salottino, una camera da letto matrimoniale e un bagno con vasca per l'idromassaggio. Tre funzionari in borghese della Scientifica stavano ultimando i rilievi sul luogo del delitto; Prosperi indicava ringhiando al fotografo le inquadrature piú importanti.

– Il corpo è nel bagno, – disse Fernandez.

Nel bagno, oltre alla sagoma che se ne stava quietamente sul mattonellato tra la Jacuzzi e il termosifone, coperta da un rispettoso quanto ipocrita lenzuolo bianco, c'era anche il medico legale.

Una ragazza forse ancor piú giovane di lui, decise Matteo al primo sguardo, alta, profondi occhi verdi che sprizzavano lampi d'intelligenza. Trattenne la sua mano un istante piú del dovuto: Anna De Angelis, questo il suo nome, gli ricordava pericolosamente una sua compagna di corso a Quantico.

Si chiamava Janice: come lei era bella di una bellezza non convenzionale, aggressiva, inguaribilmente attratta dal delitto e dai suoi derivati. Persino il profumo fresco e lievemente fruttato di Anna gli riportava alla mente l'odore di Janice, una fanatica dei prodotti a base di erbe naturali. Janice ne metteva sempre qualche goccia in piú quando la chiamavano per un sopralluogo o per un'autopsia: una specie di rito scacciamorte.

– È morta sicuramente tra le ventitre e le due, ma potrò essere piú precisa dopo l'autopsia, – disse la dottoressa, quando i convenevoli furono esauriti. – Il riscaldamento era in funzione, e quindi i tempi del *rigor mortis* risultano alterati. Vede, commissario, l'abbiamo trovata proprio qui, accanto al termosifone.

– Può sempre provare con l'esame del potassio, – suggerí Matteo.

– Lo ritiene attendibile, commissario?

– Al cento per cento, – ribatté Matteo. – A patto che lei abbia la pazienza di controllare per quarantott'ore i *markers*...

Lei annuí, con un sorriso rassegnato.

– La penso come lei. Purtroppo, le nostre corti d'Assise considerano il metodo ancora sperimentale. Farò l'analisi. Ma nella relazione mi atterrò ai classici della tanatologia.

– Posso vedere il corpo? – chiese Matteo.

La dottoressa sollevò un lembo del lenzuolo. Apparve un volto cinereo, incorniciato da una cascata di scomposti capelli color rosso tiziano. La bocca era serrata da due, forse tre giri di nastro adesivo. Una materia gialla, appicciciosa, occludeva completamente le narici. Matteo si chinò, quasi sfiorando quella maschera di morte.

– Cera.

– Proprio cosí, commissario. Cera. Le ha bloccato la respirazione.

Matteo chiuse gli occhi. Trafficava da ormai cinque anni con i delitti piú efferati che la mente umana possa concepire e non aveva ancora maturato il *giusto distacco*. Nessuno ama i cadaveri. Ma i cadaveri possono rivelarsi una miniera d'informazioni. Per lo meno, aveva imparato a controllarsi. Alla sua prima autopsia aveva vomitato, alla seconda era svenuto. Il suo maestro di allora, Danielli, una leggenda della medicina legale, gli aveva raccontato di quando, giovane praticante, era stato spedito a ispezionare il cadavere di un impiccato. Insieme a lui c'erano tre ragazze, anche loro in tirocinio. Il cadavere penzolava dal tronco di un cedro, in aperta campagna. Danielli si era issato su una scala, aveva appena sfiorato il corpo che quello s'era messo ad agitarsi tutto, mandando una serie di suoni striduli. Come se si stesse lamentando per quella inattesa manipolazione *post mortem*. Il giovane perito era caduto dalla scala, le ragazze erano scappate in preda al panico. Si era poi accertato che all'interno di quello sventurato suicida una famigliola di topolini di campagna aveva ricavato un comodo alloggio e nutrimento.

«Si può dare di matto, alla prima e alla seconda autopsia», aveva concluso Danielli. «Ma se alla terza non subentra il giusto distacco, allora è meglio cambiare mestiere».

Matteo riaprí gli occhi. Bene. Non ci sarebbe mai stato per lui un *giusto distacco*, ma questo non gli aveva impedito di diventare molto, molto bravo nel suo mestiere. Ciascuno ha i suoi metodi, dopo tutto. Il suo consisteva nell'andarsene da un'altra parte. Una specie di assenza soporosa che non mancava di stupire i suoi collaboratori. Si trattava di lasciarsi impregnare dalle sensazioni, di dare libero sfogo al gioco associativo delle sinapsi. Davanti ai risultati, lo stupore si mutava, immancabilmente, in ammirazione.

Era come ascoltare la musica perversa del delitto, si doveva cominciare con l'abbandonarsi alla melodia. La costruzione della partitura la potevi capire solo dopo, quando veniva il momento della ragione, allora ti accorgevi che la rete, lanciata apparentemente a casaccio, era stata calata, sin dal primo istante, sul bersaglio.

Ma in questa suite, tra questi colleghi forse uguali a tanti, forse ciascuno diverso dagli altri, Matteo non riusciva a concentrarsi sulla musica. Colpa di un'interferenza difficilmente controllabile. *Qualcosa di profondamente personale*. Rimini, maledizione.

Respirò profondamente e questa volta avvertí una sensazione netta, indiscutibile. Odio. Chi aveva ucciso quella donna doveva averla odiata con un'intensità disumana.

– Effettivamente, non è un bello spettacolo, – commentò la dottoressa. Doveva essersi accorta del suo turbamento.

Matteo liberò il cadavere dal lenzuolo. C'erano segni evidenti di percosse dappertutto. Sulla tempia sinistra spiccava l'impronta riconoscibilissima di un martello.

– È stata picchiata… a lungo, probabilmente.

– Sí, – convenne la dottoressa. – Ma la morte è dovuta al soffocamento.

– Ha un paio di guanti per me?

Intervenne Roberto, porgendogli i guanti da chirurgo. Matteo sollevò una mano della morta, poi l'altra. Quindi le tirò su delicatamente le maniche del maglione celeste che la donna aveva indossato in vita.

Scosse il capo, evidentemente deluso, e poi, con un gesto rapido, tuffò una mano guantata nella massa dei capelli. Infine si rialzò. E senza aggiungere una parola se ne andò in camera da letto.

La dottoressa bloccò Fernandez, che si era mosso per raggiungerlo.

– Chi è questo Colonna? Un altro della Scientifica?

– Non solo, sai com'è, la Maltese è una persona importante, il delitto è indubbiamente strano, a Roma sono andati in fibrillazione e qualcuno ha avuto l'idea di coinvolgere l'Unità Anticrimine violento. La decisione è rimbalzata a Milano ed ecco qui il nostro esperto criminologo raccomandato dall' Fbi.

– Che ne pensi?

– Ma che ne so! È arrivato da cinque minuti e Prosperi già lo odia!

Fu proprio un imperioso richiamo di Prosperi a trascinarli in camera da letto. Con lui c'era Ippoliti, che prendeva appunti su un taccuino.

– Allora, ricapitoliamo: verifica di tutti gli ospiti dell'albergo, indirizzi, nomi, documenti, e poi interrogatori a tappeto. Ve ne occupate tu e la Rubino.

– Ma abbiamo già sentito tutti! – protestò debolmente Ippoliti.

– E allora vuol dire che li risentiamo due, tre, anche dieci volte, se è necessario! – tuonò Prosperi, fulminandolo con un'occhiataccia. – E per quanto riguarda gli stranieri, fate subito un controllo all'Interpol, bisogna vedere se qualcuno di loro ha precedenti, le solite cose, insomma.

Matteo, che se ne stava vicino a uno dei due comodini da notte, attirò l'attenzione di Fernandez e gli mostrò un piattino con tre piccoli zeppi di legno di colore rosso cupo e della cenere grigiastra.

– Guarda questo…

– Ah, sí, il bastoncino d'incenso… Forse la Maltese aspettava qualcuno e stava creando un po' d'atmosfera.

Matteo fece segno di no con la testa.

– Quando è stato scoperto il cadavere?

– Alle sei e qualcosa. La cameriera al piano ha trovato la porta aperta e si è incuriosita…

– L'avete già interrogata?

– Ci ho parlato io.

– Ha detto per caso di aver sentito odore di incenso?

– Sí, ma… oh, capisco! – Roberto si picchiò una mano sulla fronte. – Vuoi dire che…

– Già. Se lei è morta, come dice la dottoressa, tra le undici e mezzo e le due, e visto che questi dovevano essere almeno… diciamo tre bastoncini d'incenso… tutti e tre di colore rosso… l'unica conclusione possibile è che sia stato l'assassino ad accenderli, e se alle sei di stamattina c'era ancora l'odore, ciò vuol dire che l'ultimo bastoncino è stato sicuramente acceso quando la Maltese era già morta.

– Sta' a vedere che l'assassino è un figlio dei fiori!

– Un figlio dei fiori… – commentò, colpito, Matteo.

– Oppure, c'è di mezzo una setta satanica, – aggiunse Roberto.

Matteo fece nuovamente segno di no.

– Non c'è nessun altare improvvisato, nessuna scritta o versetto a sfondo religioso…

Non poté aggiungere altro perché alle loro spalle sopraggiunse Prosperi, piú frenetico che mai. Con lui c'era anche Anna De Angelis.

– Allora, Anna ha dato via libera per rimuovere il corpo. I dati dell'autopsia al piú tardi stasera. Fernandez, come stiamo a impronte?

– Poche e piuttosto confuse, quasi tutte della vittima, credo.

Matteo si schiarí la voce.

– Ha usato i guanti, – osservò. La frase risuonò secca, vagamente saccente.

Prosperi mordicchiò nervosamente il sigaro.

– Qualche altra brillante deduzione, commissario Colonna?

Matteo si sforzò di assumere un tono umile e paziente.

– Il corpo è stato trascinato in bagno…

– Le ho viste anch'io le strisce di sangue.

– Allora avrai sicuramente notato che si è trattato, appunto, di un trascinamento. Voglio dire che nessuno ha sollevato la donna. Questo significa che il nostro uomo ha agito da solo…

Prosperi sbuffò e si rivolse a Roberto.

– I vicini hanno sentito qualcosa?

– Una musica… nessuno è stato in grado di riconoscerla.

– Sempre la stessa musica? – chiese Matteo. Fernandez annuí. Matteo fissò Anna.

– Dottoressa, può effettuare un esame tossicologico completo?

– Crede che sia stata drogata?

– Sulle braccia non c'erano segni. Ma ho sentito un irrigidimento nei muscoli intorno al collo che…

– Potrebbe semplicemente trattarsi di un effetto del *rigor mortis*.

– Potrebbe, ma non credo.

– Va bene, esame piú esame meno, – tagliò corto Prosperi. – Io vado in ufficio. Tutti in libertà per... due ore. Alle sedici in punto conferenza stampa. Colonna, hai già provveduto per la tua sistemazione?

– Ci penso io, – s'inserí pronto Roberto.

– Sei mai stato in una città italiana che non avesse una piazza dedicata a Camillo Benso, conte di Cavour? Be', ce l'abbiamo anche noi qui a Rimini. Ecco a voi, signore e signori, in tutto il suo splendore, piazza Cavour! Secondo foro della Rimini romana, piazza Cavour rappresenta nientemeno che il centro monumentale cittadino, nonché la meta preferita dei pellegrinaggi gastronomici del tuo umile amico... di', ma potresti pure farti scappare un sorrisetto, ogni tanto, no... oh, finalmente! Il commissario Colonna ride! Aveva ragione la mia povera nonna: Roberto, tu il cabarettista dovevi fare, mica lo sbirro!

Matteo allargò le braccia, conquistato, e si tuffò nella piadina al prosciutto. Il Sangiovese sfuso era di un bel colore rosso acceso, e sembrava intonarsi al tiepido lucore di un improvviso solicello. Una chiassosa carovana di pallidissime pensionate nordiche lasciò partire un'allegra risata.

Appena usciti dall'albergo del delitto, Roberto lo aveva accompagnato in un appartamentino due-camere-e-servizi in viale Siracusa, generosamente messo a disposizione, per un tempo variabile tra ventiquattr'ore e un mese, dal Servizio centrale di protezione.

– Che ti credi, li abbiamo anche noi i pentiti! E c'è pure una donna delle pulizie, ma quella il Servizio centrale non la paga.

Il locale era angusto e piuttosto buio. Matteo ci aveva ritrovata una piacevole aria di casa. Affacciandosi all'unica finestra protetta da grate di ferro abbastanza strette da impedire il tiro di precisione di qualche killer di passaggio, si era accorto di essere a pochi passi dalla questura centrale, dove, gli aveva spiegato Roberto, era stato allestito un open space riservato all'Unità di crisi.

– Unità di crisi... quasi che la moltiplicazione delle sigle servisse a garantire il successo di un'indagine!

– Sembra una battuta di Prosperi.

– Non prendertela troppo con lui. È uno di vecchio stampo, ma pronto a farsi crocifiggere per i suoi ragazzi.

– Te l'ho detto, ci sono abituato. Nel mio primo incarico dovevo occuparmi di analisi dei residui di sparo. A ventisette anni avevo sotto di me gente con trent'anni di esperienza sul campo.

– Alla fine siete diventati amici.

– Abbiamo imparato a sopportarci.

– Be', non so come andrà a finire con Prosperi. È un osso duro. Ti dico un segreto: se vuoi farlo incazzare di brutto, dagli del fascista. Metà della sua famiglia fu sterminata dai nazi.

– Altri punti deboli?

– La figlia. Si chiama Mirella. Prosperi l'adora.

Mentre Roberto gli spiegava che in fondo alla piazza «si erge il famoso Teatro Comunale in stile neoclassico inaugurato nel 1857 da Giuseppe Verdi in persona», Matteo cercava di mettere a fuoco le sensazioni che il ritorno a Rimini gli aveva procurate. Curiosamente, dal momento in cui era entrato nella suite Imperiale, il senso di stordimento e anche, sí, il dolore della memoria, avevano lasciato il posto a un sentimento diverso: qualcosa a metà tra la curiosità e uno sconfortante desiderio di rivincita. Sei a Rimini, Matteo. A Rimini. E non puoi farci niente. Rilassati. E cerca di portare a termine il tuo compito. Solo questo ti si chiede. E poi...

Provò una voglia improvvisa di confidarsi con Roberto Fernandez: c'era qualcosa in quel ragazzo che ispirava un'istintiva fiducia. Da quando aveva varcato per la prima volta i cancelli del Pontormo – e non era che un bambino di otto anni già stravolto dalla vita – Matteo aveva imparato a fidarsi delle emozioni improvvise.

– Prosperi è un maniaco della puntualità, – disse all'improv-

viso Roberto, guardando nervosamente l'orologetto da polso
con il disegno di un Paperino incazzatissimo.

– Ha tutti i difetti, quell'uomo...

– Dell'altrui puntualità. Lui è puntualmente in ritardo!

E invece Prosperi, per una volta puntualissimo, li aspettava
nell'androne della questura centrale.

– Il plotone d'esecuzione è già schierato in sala stampa.
Adesso andiamo di sopra e gli diciamo le solite quattro cazzate. Parlo solo io, intesi?

Mentre salivano al piano nobile, Prosperi si ricordò di estrar-
re dalla tasca una lugubre cravatta, ma all'ingresso nella sala
stampa il nodo risultava decisamente approssimativo.

Nel vederli comparire, in fila indiana, da una porta strategicamente piazzata alle loro spalle, i giornalisti, che occupavano rumoreggiando due file di sedie con bracciolo mobile, si sca-
tenarono in un vero e proprio assalto alla diligenza.

Prosperi andò a sedersi al centro di una lunga scrivania. Roberto e Matteo si sistemarono ai due lati. Prosperi accese il mezzo toscano, valutò la situazione con un'occhiata di disgusto e
impose il silenzio con un largo gesto ieratico.

– Avete finito? Sí? Bene, signori. Come sapete, c'è stato un
omicidio. Stiamo indagando su tutti i fronti e non tralascere-
mo nessuna pista. Abbiamo alcuni testimoni e presto sarà pronto un identikit del presunto colpevole.

Una ragazza alta e decisa lo interruppe.

– Dottor Prosperi, secondo lei l'assassino è ancora a Rimini?

– Questo non lo sappiamo, ma tutti i commissariati della zona sono stati allertati.

Il rito si trascinò per alcuni minuti, sorretto piuttosto stancamente dalle ovvietà del vicequestore. L'incidente scoppiò,
improvviso, quando già i primi cronisti cominciavano mesta-
mente ad abbandonare il campo. A provocarlo fu una moretta
dall'aria spiritosa.

– Dottor Prosperi, perché è stato mandato a Rimini il commissario Colonna? Da soli non ce la facevate?

Prosperi, colto di sorpresa, cercò di cavarsela con un inno

allo spirito di collaborazione tra le varie branche delle forze dell'ordine, ma la moretta non aveva nessuna intenzione di mollare l'osso. Con un sorriso furbo, si rivolse direttamente a Matteo.

– Dottor Colonna, lei è un esperto di psicologia criminale, si è fatto un'idea dell'assassino?

Prima che il capo potesse intervenire, Matteo pronunciò, netto e deciso, un *sí* che fece piombare la stanza nel silenzio.

– Chi ha ucciso Francesca Maltese? – insisté la moretta.

– Non un assassino qualunque, – rispose Matteo. – Siamo di fronte a un uomo dalla personalità disturbata, qualcuno che fatica a reprimere i suoi istinti violenti…

– Come fa a dirlo?

– Il rituale del delitto fa pensare a una specie di vendetta. Chiunque abbia ucciso Francesca Maltese doveva odiarla, odiarla profondamente, ma la mia opinione è che non si trattasse dell'odio verso una persona in particolare. Io credo che l'assassino accusi le sue vittime di qualche colpa.

Tutti si agitarono sulle sedie. Le parole di Matteo avevano destato un'enorme sensazione. Un omone con la barba riccia, seguito da un operatore con una piccola videocamera, gli piantò il microfono in faccia.

– Perché ha parlato di vittime, commissario? Crede che ci saranno altri delitti di questo genere?

– Credo che ci siano già stati.

– La conferenza stampa è finita, signori, – scandí asciutto Prosperi, alzandosi di scatto. – È ora di tornare a lavorare.

I giornalisti levarono alte grida di protesta.

– Ma ci dia qualche particolare, commissario!

– La gente ha diritto di sapere!

– Qui si mette il bavaglio alla stampa!

Prosperi fendeva minacciosamente la folla; Roberto Fernandez distribuiva miti sorrisi imbarazzati. Matteo, serissimo, fu l'ultimo a uscire dalla sala-stampa. Chiudendo la porta, si lasciò alle spalle l'indistinto vocio sul quale un'espressione alla moda correva di bocca in bocca: serial killer.

– Che cazzo ti è saltato in mente, Colonna?

Il pugno di Prosperi si abbatté sul ripiano della scrivania, facendo volare una piccola fotografia incorniciata. Matteo si chinò a raccoglierla. Raffigurava una ragazza dai grandi occhi neri. Sorridente, fiduciosa. La posò delicatamente sulla scrivania.

– Tua figlia?

Prosperi annuí, tirando una boccata rabbiosa dal sigaro ormai ridotto a un mozzicone impregnato di saliva.

– Bella ragazza.

– Credevo di essere stato chiaro, Colonna! Perché hai tirato fuori questa storia?

Matteo sgomberò una poltroncina dai polverosi incartamenti che l'occupavano e sedette.

– Perché cosí domani la notizia sarà su tutti i giornali.

– E chi te l'ha ordinato? Miseria maledetta, me l'avevano detto che hai la testa dura, ma non pensavo sino a questo punto!

– Sto cercando di collaborare all'indagine. Tutto qui.

– Tutto qui un cazzo! Qui si fa a modo mio!

– Potrebbe non essere il modo giusto...

– E sarebbe giusto sparare la prima cazzata che ti passa per la mente, oltretutto senza uno straccio di prova?

– Devi fidarti. Voglio che lui sappia che lo abbiamo individuato. Che gli stiamo addosso. È l'unico modo che abbiamo per provocare una sua reazione. Dobbiamo farlo uscire allo scoperto. Potrebbe commettere un errore. Un errore fatale.

Prosperi sollevò la foto della figlia, la contemplò per un istante, poi sospirò e scosse la testa.

– Colonna, prega Iddio che ci sia veramente, il tuo maniaco, perché se non c'è io ti faccio sbattere fuori dalla polizia a calci in culo. Chiaro?

– Cosí non lo prenderai mai, Prosperi.

Il vicequestore strinse i pugni. Per un istante, Matteo pensò che avrebbe cercato di colpirlo. Prosperi era una brava persona. Un cavaliere dei tempi andati. Dopo tutto, considerato il suo alto grado, poteva restarsene tranquillo in ufficio a coordinare gli sforzi degli altri. Poteva fare come tutti i capi di questo mondo: prendersi il merito dei successi e scaricare sui subalterni la responsabilità dei fallimenti.

Invece Prosperi correva il rischio della strada. In prima persona. Ma questo non lo autorizzava a risolvere la contesa come in un antico duello. Toccava a lui spiegargli che un'indagine non è un duello. Ma la sua maledetta freddezza gli impediva di entrare in sintonia. Comunque, il capo sembrava essersi calmato. Riprese a parlare, ma il suo tono era stanco, vagamente sarcastico.

– Un serial killer! Mandano uno che ha studiato in America e guarda caso spunta il serial killer! Io li conosco quelli come te, Matteo Colonna, avete letto quattro libri e pensate che questo vi dia il diritto di pontificare. Non so se te ne sei reso conto, ma qui siamo di fronte a un delitto. E dobbiamo cercare un movente. Chiaro? Delitto-movente... – Prosperi unì l'indice e il pollice e ripeté, con enfasi: – Delitto... movente. Chiaro?

– Il movente che cerchi lo troverai solo dentro la mente dell'assassino.

Prosperi si abbatté contro lo schienale della poltroncina.

– E sta bene. Hai ventiquattr'ore di tempo per dimostrarmi che senza di te questa indagine non può andare avanti. Intanto, come prima cosa, vai a interrogare il padre della Maltese. Sta in una casa di riposo. La figlia è andata a trovarlo ieri pomeriggio. A parte il portiere dell'albergo, è stata l'ultima persona a vederla da viva. Escluso l'assassino, s'intende. Dopo ci vediamo all'obitorio, per l'autopsia. Buon lavoro.

– Anche a te, – ricambiò Matteo.

2.

CASA DI RIPOSO
GIOVANNI PASCOLI

Fondata nel 1937
Ente morale assistenziale istituito con RD n. 1256 del 27
ottobre 1937 e riconosciuto con provvedimento prefettizio del
29 aprile 1946
Direttore sanitario: dr. Amilcare Sbarra
Direttore amm.vo: dr. Silvana Procopio

Chissà come avrebbe reagito il poeta della *Cavallina storna*,
orfano, anarchico e forse gay, se avesse saputo che avevano dato il suo nome a un cronicario.

I vecchietti che erano di peso alle famiglie, o che semplicemente non avevano piú nessuno al mondo, li mandavano a morire tra questi vialetti di ghiaia immersi tra alti pini o negli an-
droni dalle volte a botte dove su muri di un rassicurante marrone fondo-di-imbianchino campeggiavano i ritratti di austeri
prelati e di segaligne benefattrici dal cuore grosso cosí.

E loro, i vecchietti, si facevano sempre piú piccoli e legge-
ri, scivolavano lungo i muri e si nutrivano di televisione nella
vana speranza di passare inosservati alle periodiche visite di controllo della Dama dalla Falce Nera.

Mentre aspettavano che l'infermiera annunciasse la loro visita al dottor Maltese, rabbrividendo nell'umido del tramonto,
l'agente Ippoliti, forse per metterlo di buon umore, aveva raccontato a Matteo la storia di un suo lontano conoscente. Era

stato, costui, un colonnello dell'aeronautica, missioni di guerra e medaglie al valore.

La moglie aveva atteso che andasse in pensione per piantarlo. L'unico figlio aveva perso tutto al gioco. Mossa a pietà, l'ex consorte, nel frattempo accasata con un industriale carpigiano, ramo tessili, aveva fissato un vitalizio in una casa di riposo. Il colonnello aveva resistito una settimana, poi era evaso, dopo una spettacolare azione di guerra ai danni della cassa dell'istituzione che gli aveva fruttato poco piú di cinque milioni. L'avevano ritrovato in uno scannatoio a due passi dal Rubicone, con i calzoni calati e («mi deve credere, commissario!») il sorriso di un uomo felice. Si era poi saputo che la beneficiaria del furto con scasso era una certa Kyra, prostituta nigeriana.

L'infermiera spuntò dal fondo del vialone spingendo una carrozzina sulla quale si agitava la sagoma di un uomo con le gambe coperte da un plaid scozzese.

In quel preciso istante una mano invisibile ordinò l'accensione dei lampioncini a tre palle che interrompevano, ogni quindici passi, la teoria delle panchine deserte.

– Sono loro, dottor Maltese, – scandí l'infermiera, depositando la carrozzina all'altezza di Matteo.

Erasmo Maltese aveva gli occhi accesi da uno sguardo febbricitante. Indossava un blazer blu con uno stemma dorato appuntato al bavero, un foulard di seta, ed esibiva una perfetta rasatura. Tra le mani nervose stringeva un elegante bastone da passeggio. Matteo pensò che il tempo degli ospizi-lager era definitivamente tramontato. Ora anche l'abbandono era una pratica morbida, politicamente corretta. Ma chissà se i vecchietti s'erano accorti della differenza. A un cenno di Matteo, Ippoliti prese gentilmente sottobraccio l'infermiera. I due si allontanarono di qualche passo. Matteo tese la mano.

– Dottor Maltese, sono…

Un violento accesso di tosse scosse il petto incavato di Maltese. Matteo si avvicinò per aiutarlo. Il vecchio lo respinse con un gesto deciso. Nelle sue mani comparve un fazzoletto immacolato, con ricamato il monogramma ER. Maltese ci tuffò dentro la faccia, sputò ripetutamente, tossí ancora, infine, con un rantolo, riprese fiato.

– Se è un giornalista giuro... quanto è vero Iddio le do un calcio nelle palle!

– Non sono un giornalista.

– Strano. Solo i giornalisti si interessano a me, ma le loro attenzioni dureranno poco... come me, del resto.

– Sono il commissario Colonna. Sto indagando sulla morte di sua figlia. Vorrei farle solo un paio di domande.

– E che cosa le dice che io abbia voglia di risponderle?

Con un gesto rabbioso, il vecchio si liberò del plaid e si mise in piedi, puntellandosi sul bastone. Matteo lo seguí lungo il vialone, a sua volta inseguito dallo sguardo preoccupato dell'infermiera. Vinto da un nuovo accesso di tosse, Erasmo Maltese si accasciò su una panchina. Matteo gli sedette accanto.

– Signor Maltese, ho bisogno del suo aiuto. Non abbiamo la piú pallida idea di dove cominciare...

– Sa che le dico? Che non me ne frega niente! Quella stronza per me era già morta dieci anni fa! Quando mi ha chiuso qua dentro...

– La capisco.

– Che cosa vuol capire lei? Lei è giovane, è sano. Io non chiedevo molto... una telefonata... Ma no, figuriamoci: metteva una firma su un assegno e si scaricava la coscienza. Era mia figlia, capisce?

Ancora quella tosse cavernosa, maligna. Sembrava seguire un suo ritmo scandito da brevi pause e da furiosi accessi. Per un istante Matteo fu attraversato da una delle sue percezioni: la musica della malattia. Perché pensava a Francesca Maltese? Aveva sentito qualcosa di simile, mentre era chino sul corpo della figlia? No, lí si era trattato di odio. Il collegamento era padre-figlia, ma questo vecchio se ne stava a soffrire qui tra i suoi simili, mentre gli scannavano la figlia. Padre e figlia... la tosse... Eppure non poteva sbagliarsi; si conosceva troppo bene, ormai. Un lampo, un'associazione, la piú impensabile... Quanti casi aveva risolti in questo modo? Perché, nonostante

tutto, invece di cedere alla pietà per quell'uomo abbandonato,
vilipeso, la sua mente reagiva, vigile, alla... musica della tosse?
Erasmo Maltese gli afferrò un braccio.

– Io l'amavo, capisce? L'amavo...

*Un uomo con una folta barba bionda e lunghi capelli, gli oc-
chiali da vista. È questa l'immagine di me che hanno fissato i testimoni. «Questo» sta dicendo il giornalista «è l'identikit dell'assassino di Francesca Maltese. L'uomo è stato visto allontanarsi all'alba dall'hotel poco dopo aver perpetrato l'efferato omicidio. I suoi
documenti sono risultati falsi. Ma sentiamo la nostra inviata da Rimini...» G. indica con un mugolio eccitato l'ingresso dell'albergo. Sí, certo, certo che è quello, l'ingresso dell'albergo. Ma la stanza, ci scommetto, non la faranno vedere. Be', ma abbiamo le nostre fotografie, vero, G.? Oh, quante macchine della polizia! Oh,
quanta folla! Questa gente è cosí povera d'immaginazione da pensare che io possa aver fatto tutto questo per attirare la loro attenzione! Stupidi! Illusi! Lettori di giornali popolari! Oh, ecco il vicequestore Prosperi, il rude mastino della Riviera! E la cronista,
con un tailleur rassicurante e un'ombra di trucco sul viso che l'a-
bitudine alla diretta ha reso inespressivo. Sentiamo che banalità ci
racconta, la cronista... «a poche ore dall'efferato omicidio di Francesca Maltese...» ancora con questo efferato... che povertà di linguaggio! Che gergale trivialità... Ma un momento... in mezzo a
questa confusione di imbecilli la telecamera ha puntato un volto
anomalo, che ci fa qui, in mezzo alla marcia umanità dei deboli,
questo giovane che si leva impacciato ma ricco di dignità accanto
a Prosperi? Bel ragazzo, occhi scuri, volto corrucciato, un animo
intenso... Deve aver sofferto, nella vita... Uno spirito inquieto. Ci
sono sensazioni che sanno perforare la falsità del video... «si fa strada negli inquirenti il convincimento che la ricca imprenditrice sia
stata assassinata da un serial killer...» Mi avvicino allo schermo,
con un gesto secco zittisco G. L'hanno pronunciata, dunque, la parola magica; dev'essere il giovanotto, quello venuto da fuori. Ecco,
davvero una sorpresa, anche per G.; che mi fissa con uno sguardo*

liquido di cane, e balbetta «e adesso, e adesso...» e sono costretto a intervenire, riesco a placarlo, infine, con un sorriso, lo spedisco in cucina a prepararmi un caffè americano.

In realtà sono corrucciato... No, peggio, indignato. Con me stesso, s'intende: dove ho sbagliato? Qual è stato l'insignificante particolare che ha svelato una procedura che per tanti anni ero riuscito così mirabilmente a occultare? Purché i volgari gazzettieri ora non attacchino con la storiella del mostro che anela a farsi catturare.

Ripercorro le fasi della mia caccia: l'individuazione, l'osservazione, l'attesa, la seduzione, la conquista, l'esecuzione della sentenza di condanna... G. mi porge con aria ossequiosa il caffè: è pessimo, come tutto ciò che questo figlio irrecuperabile si propone di realizzare, ma non c'è stato nessun errore. E allora... e allora non c'è che un'alternativa: qualcuno, finalmente, ha saputo leggere i segni!

Questo giovane funzionario i cui occhi si accendono, a tratti, di scintille... «secondo il commissario Colonna dell'Unità Anticrimine violento della polizia di Stato il pericoloso psicopatico ha già colpito in passato...»

Spengo. Ho bisogno di pensare. Il commissario Colonna. Il commissario Colonna! Ma tu guarda! No, non credo che il commissario Colonna abbia usato un'espressione come pericoloso psicopatico. Mi rifiuto di crederlo. Anche se certe modalità esecutive potrebbero ingenerare in più d'uno il sospetto che io sia un pericoloso psicopatico, il commissario Colonna non è uomo da ricorrere a locuzioni così ordinarie. G. è sempre più nervoso. Bofonchia frasi senza senso, cita a sproposito l'Antico Testamento, farnetica di tradimenti e di abbandoni. Come dici, G.? Sí, qualcosa bisogna fare. Ma non quello che pensi tu, povero idiota. La situazione che mi trovo ad affrontare è decisamente originale. Sotto tutti gli aspetti. Ho bisogno di tempo per pensare. G. giura che sarà, come sempre, al mio fianco. Ho bisogno di restare solo. Accoglie l'annuncio con un ululato animalesco. Mi stai venendo a noia, G. La tua bovina acquiescenza mi ha tediato. Nonostante tutti i miei sforzi, non riuscirai mai a elevarti al di sopra della massa. Ciò che per me è una missione per te è unicamente il pallido riflesso di un'adorazione senza qualità. Miseria e mediocrità. Tutto ciò offusca il giusto rit-

*mo del tempo e offende il mio alto senso della giustizia. Colonna...
il commissario Colonna... sí, G., va' a sviluppare le fotografie per
il tuo disordinato archivio... Sí, figliolo, al tuo ritorno ripeterò per
l'ennesima volta i dettagli che ami tanto sentirti raccontare... Colonna. Il commissario Colonna. Guarda il destino chi ha spedito a
Rimini. Il commissario Colonna. G. ha ragione. C'è aria di tradimento e di abbandono. Ma il tradimento aiuta a crescere, vero, G.?
E l'abbandono rafforza. Vero, commissario Colonna?*

Bisogna pur fare qualcosa.

Ippoliti lo depositò davanti all'obitorio, e con la scusa di cercare un parcheggio («Prosperi è severissimo, ci fa pagare le multe di tasca nostra») si squagliò al solo scopo di evitare l'autopsia.
Matteo si fece indicare la sala del perito-settore da un infermie-
re e sulla soglia s'imbatté in Prosperi, piú ruvido che mai. In due
battute lo mise al corrente dell'incontro con Erasmo Maltese.
Prosperi indicò con il pollice l'interno della sala e si fece da parte per lasciarlo passare. La sala era uguale a tutte le altre: un vasto stanzone bianco, mattonelle, lavabi, tavoloni di marmo, mac-
chinari avveniristici per le analisi e vecchi attrezzi medievali per
sondare la carne e le ossa nel tentativo di ricostruire i percorsi
del male. Anna De Angelis gli sorrise. Il suo profumo, intenso,
rinfrancante, faceva dimenticare l'odore di morte.

– L'ha già ricucita, – lo informò Prosperi. Matteo respirò di
sollievo.

– Sa una cosa, commissario? – disse Anna, – aveva ragione:
è stata drogata.

Prosperi borbottò qualcosa. Matteo non batté ciglio.

– Le ha fatto due iniezioni alla base del collo, – riprese la
dottoressa, – ha usato un cocktail di alcool e cardiazol-paraco-
dina. La paracodina è un tranquillante molto diffuso e molto
potente. È anche fra i componenti degli sciroppi per la tosse.

Prosperi si accese un sigaro. Anna indicò il cartello con la
scritta VIETATO FUMARE. Il vicequestore la mandò silenziosa-
mente a quel paese.

– Sotto le unghie non ho trovato né sangue né frammenti di pelle dell'assassino. Nessuna lesione da difesa. Nessuna traccia di violenza sessuale. Né in vita, né *post mortem*.

Matteo si avvicinò al corpo e scostò il lenzuolo, questa volta verde. La benda sull'occhio destro stava a indicare che la dottoressa aveva prelevato il globo oculare per l'analisi del potassio. La lunga cicatrice a V faceva venire in mente un triste Frankenstein mal riuscito. Ai polsi e alle caviglie spiccavano lunghi solchi bluastri.

– L'ha stretta molto forte, rabbiosamente, direi, – commentò Anna. – Le ha spaccato le costole a una a una con un oggetto pesante, forse un martello. Lei era legata. È stato un soffocamento progressivo. Non so come abbia fatto a respirare. Doveva soffrire terribilmente ogni volta che prendeva aria.

– Sempre convinto del serial killer? – soffiò Prosperi.

– La odiava, – disse piano Matteo. – La odiava e voleva... doveva punirla.

– Doveva? Gliel'ha ordinato qualcuno? Delle misteriose voci?

– In un certo senso... Per lui è un impulso irresistibile.

– Questa signora, caro Colonna, aveva una vita sentimentale piuttosto... turbolenta. In questo preciso momento decine di agenti in tutta Italia stanno interrogando i non pochi stalloni che hanno goduto dei suoi favori. Sta' a vedere che a ordinare questo macello non sono state le *voci*, ma qualche amante incarognito. Comunque, le ventiquattr'ore scadono domani. Datti da fare, se vuoi convincermi.

Salutata Anna, Matteo si fece accompagnare da Ippoliti nell'appartamento di via Siracusa. La stanchezza cominciava a farsi sentire. Ma non poteva permettersi perdite di tempo. Prosperi era stato categorico. Se non fosse riuscito a convincerlo della sua ipotesi investigativa, ci sarebbero state altre vittime. Tutto ciò che poté concedersi furono una doccia e qualche minuto di relax davanti al televisore.

La notizia che a Rimini si aggirava un pericoloso serial killer era stata ripresa con grande risalto dall'edizione nazionale

dei principali Tg. L'informazione aveva catturato al volo la battuta di Fernandez, e ora tutti chiamavano il misterioso assassino Figlio dei fiori. L'omicidio di una persona importante come
Francesca Maltese serviva, come sempre, da pretesto per le immancabili italiche polemiche. L'opposizione accusava il governo di inettitudine e di lassismo sul terreno dell'ordine pubblico. Il governo replicava scaricando la colpa sui giudici, ai quali
si doveva imputare la cronica lentezza dei processi. L'opposizione rilanciava ipotizzando sospette connivenze proprio tra il
governo e i giudici. Tutto questo non aveva niente a che vedere né con l'omicidio della Maltese né con la mente disturbata
del suo autore. Ma nessuno sembrava farci caso.

Matteo non aveva ancora abbastanza elementi per elaborare un profilo psicologico del Figlio dei fiori. Gli servivano, intanto, le prove di precedenti delitti. Occorreva studiare, ana-
lizzare. Operazioni che richiedono il giusto tempo. Ma il giusto tempo è merce rara, quando si è in prima linea. Spense
l'apparecchio, nauseato. Aveva ancora tempo per un po' di musica? Recuperò dal fondo del borsone il walkman e si sparò una
compilation di vecchi successi della West Coast. Chitarre ora
aspre ora dolci, come aspro e dolce era il flusso dei pensieri che
presto lo fece scivolare in un nebuloso dormiveglia e da lí, direttamente, nell'irrinunciabile sonno. Lo risvegliò il trillo insi-
stente del cellulare. Era suor Celeste, da Milano. No, non ce
l'avrebbe fatta per la festa annuale. Volevano premiarlo? Con
una torta? Che se la divorassero pure alla sua salute... lui stava dando la caccia a un pericoloso assassino.

– Con l'aiuto di Dio lo prenderai anche questa volta, – fu
l'augurio di commiato di suor Celeste.

L'aiuto di Dio è sempre benvenuto, pensò Matteo, rimet-
tendosi penosamente in piedi, ma magari quello di Roberto Fernandez, al momento, poteva rivelarsi di piú immediata utilità.
Quasi le undici. Telefonò a Fernandez. Occupato. Riprovò due,
tre, cinque volte. Sempre occupato. Si precipitò in questura,
dove riuscí a strappare a fatica, a un piantone assonnato, l'indirizzo del collega della Scientifica.

Roberto Fernandez abitava in una villetta con giardinetto in via Sabinia, ai margini del parco dedicato ad Alcide Cervi. Era stata suor Celeste a raccontargli la storia dei sette fratelli Cervi, fucilati dai tedeschi durante i terribili inverni della guerra civile.

Anche se i Cervi erano comunisti, la suora si era espressa in termini di martirio. Matteo si era chiesto (era solo un bambino, allora) se esistesse al mondo qualcosa in grado di giustificare un simile sacrificio. E aveva elaborato una triplice ipotesi: eroismo, testardaggine o follia. Ma nessuna di queste ipotesi gli era apparsa allora, e continuava ad apparirgli ora, soddisfacente. Forse, se avesse saputo trovare una risposta a questa domanda, avrebbe potuto comprendere qualcosa di piú di quella strana, generosa e sanguigna terra alla quale pure, in parte, egli stesso apparteneva. E forse sarebbe riuscito a entrare in sintonia con Prosperi e con il Figlio dei fiori. Ma per riuscirci avrebbe dovuto prima fare i conti con se stesso. Ed era proprio ciò che da anni stava cocciutamente cercando di evitare.

Fu Anna ad aprirgli. Superato il primo momento d'imbarazzo, lo salutò con un dolce sorriso, invitandolo a entrare.

– Veramente cercavo Roberto, – si giustificò lui.

– Venga, è dentro.

Un soggiorno pulito e non esageratamente ordinato, senza quel senso di *rigor mortis* che è il segno distintivo dei maniaci ossessivi della precisione. Un divanetto, due poltrone ingombre di carte e qua e là giocattoli, una bambola, una macchinina, un cane di pezza dalle lunghe orecchie. C'era forse un bambino, nella vita di Roberto? E la dottoressa che ruolo aveva in tutto questo? Una scala in fondo, e sulla sinistra il classico desk dell'informatico scafato, con tanto di Pc da tavolo e portatile, scanner, modem, stampante e quant'altro.

Roberto si affacciò in cima alla scala e lo salutò con un cenno affettuoso. Indossava comodi abiti da casa (maglione e jeans), come Anna, piuttosto punita da un castigato completino marrone. Niente che lasciasse intuire, notò con sollievo Matteo, l'interruzione di un convegno amoroso in corso.

– Scusami, Roberto, ma il tuo telefono è sempre occupato...

– Davvero? Porco Giuda!

Roberto si precipitò al desk, manovrò con i fili e il mouse, poi riemerse con l'aria corrucciata.

– Oh, mi dimentico sempre di scollegarmi da Internet! Stavolta mi arriva una mazzata di bolletta... Vabbè, commissario, che ti serve?

– Un favore.

– Ho capito. Lavoro extra, no?

– Prosperi mi ha dato un ultimatum. Ho tempo sino a domani per convincerlo che si tratta di un assassino seriale.

– Come fa a essere cosí sicuro che si tratti di un serial killer?

Anna si era accovacciata sul divano, le lunghe gambe sotto i pantaloni del completino. Matteo cercò di essere convincente.

– Dottoressa, l'uomo che cerchiamo è un cacciatore. Un serial killer che tecnicamente si chiama *edonista del controllo del potere*.

– Ehi! – fischiò Roberto. – Roba da Fbi?

– La definizione è ripresa dallo schema di Mastronardi e Palermo. George Palermo, quello che ha periziato Dahmier, il cosiddetto «mostro di Milwaukee»...

– Che fa un *edonista del controllo del potere*? – insisté Anna.

Matteo sedette accanto a lei, sfiorandole una gamba. La dottoressa non la ritrasse.

– Abbiamo visto tutti e tre il corpo di Francesca Maltese. Quell'uomo è un sadico. Ma il piacere che prova non si esaurisce nell'atto di uccidere, come per la maggior parte degli assassini seriali. Lui deve organizzare l'omicidio, studiare la vittima, seguirla, immobilizzarla e ucciderla secondo un rituale che risponde a un preciso codice di comportamento.

– Quale?

– È quello che dobbiamo cercare di scoprire. Possibilmente, – Matteo sorrise, – prima che Prosperi mi rispedisca a Milano a calci nel sedere.

Roberto si uní a loro, scostando con delicatezza le gambe di Anna.

– Sí, va bene, va bene, ma che cosa vuoi esattamente da me?

– Dobbiamo scoprire se tra i delitti insoluti degli ultimi anni ci sono elementi comuni... Insomma, cerchiamo la serie.

– E allora?

– Ricerche d'archivio. Avete un archivio dei casi insoluti?

– Certo.

– E ce l'avete in rete, no?

– Due volte certo.

– E allora, mi serve il tuo Pc e mi servi tu che sei del posto.

– Non dirmi che sei calato tra noialtri barbari senza computer!

– L'ho dimenticato a Milano.

La dottoressa rise.

– Il vecchio Freud direbbe che l'ha voluto dimenticare, commissario. Forse sperava di cavarsela con una mezza giornata di lavoro?

– Forse l'idea di venire a Rimini mi ha scombussolato troppo, – ribatté Matteo, cupo. Anna lo fissò interdetta.

Roberto ci pensò un po' su, poi schioccò le dita, fulminato da una rivelazione.

– Va bene. Ti presto il Pc e me ne vado a nanna. Tu collegati alla banca dati dell'Unità anticrimine violento e... No, no aspetta, – s'interruppe, mogio. – Se i delitti che cerchiamo fossero nella tua banca dati, vorrebbe dire che già sappiamo di essere alle prese con un serial killer, e invece noi non lo sappiamo. Quindi, occorre consultare gli archivi locali.

– Lo vedi che quando ti metti d'impegno...

Roberto si mise a passeggiare nervosamente. Anna si accese una sigaretta. Roberto, ora, s'era fermato al centro della stanza.

– Ma hai idea di quanti delitti insoluti ci sono? Altro che ventiquattr'ore! Ci vuole una vita. Senti, ci parlo io con Prosperi, magari...

– Inutile, Roberto, è stato irremovibile.

– Tu pure, scusa –. Roberto allargò le braccia in un gesto

esasperato. – Con quella sparata della conferenza stampa sei andato proprio a sfotterlo!

– Hai ragione, non ho un gran bel carattere. Ma se ci mettiamo al lavoro subito... Ci basterà esaminare i delitti commessi in zona. Diciamo in tutta la Riviera.

– Solo? Ah, be', allora...

Matteo lo fissò con grande intensità.

– Roberto, è una cosa importante. Molto importante.

– E va bene. Ma lasciati dire una cosa, commissario: hai un futuro come venditore di automobili!

Anna rise e si offrí di preparare un caffè.

Cinque minuti dopo erano collegati alla rete ARMORE (Archivio Squadra Mobile Emilia Romagna). Ci erano arrivati dopo un giro panoramico tra gli acronimi della polizia nazionale: ARPO (Archivio Polizia), ARSECOP (Archivio Servizio Centrale Operativo), ARMOC (Archivio Squadra Mobile Centrale), ARMOIC (Archivio Squadra Mobile Italia Centrale).

Roberto gli aveva detto che preferiva, quando possibile, lavorare da casa. Per evitare le FAQ (Frequently Asked Questions), cioè le domande ossessive dei *dummies*, i colleghi imbranati, le quali domande provocavano risposte invariabilmente giudicate deludenti e che ottenevano il solo scopo di rafforzare nei *dummies* il convincimento che la navigazione in rete discendesse in linea retta dall'alchimia e dalla magia nera.

– Ecco, – disse Roberto, – in Riviera abbiamo 103 delitti insoluti dall'81 a oggi.

– Seleziona solo le donne, – suggerí Matteo.

– Fatto. Ne restano... 56.

Anna li raggiunse con due tazze di caffè. Roberto la ringraziò e bevve un sorso dalla sua.

– Togli quelle uccise con arma da fuoco, – ordinò Matteo.

– Perché?

– Il nostro amico non ama le armi da fuoco. Troppo rapide. Non gli danno quel piacere che cerca. La morte per arma da fuoco, ai suoi occhi, appare troppo pietosa.

– Il caffè, commissario Colonna... Matteo...

– Grazie, dopo. Fammi vedere un po'... Quanti ne restano?

– Diciannove.

– Controlliamoli tutti.

Anna si lasciò cadere sul divano e accese un'altra sigaretta. Bevve il caffè di Matteo e si lasciò avvincere dal ronzio del computer e dalla concentrazione degli uomini.

Le piaceva quell'energia che si respirava durante un'indagine in corso. Le piaceva il senso della caccia che prendeva corpo sotto i suoi occhi. Preferiva lavorare per lo stato piuttosto che per i privati. Non accettava consulenze di parte. Considerava eticamente immorale affibbiare a un criminale una patente di infermità mentale al solo scopo di sottrarlo al meritato castigo.

Questo non la rendeva molto popolare nell'ambiente. Ma la solidarietà ambientale era l'ultima delle sue preoccupazioni. In quel momento stava pensando che si poteva dubitare, come Prosperi, delle qualità professionali di Matteo Colonna, ma non di quelle estetiche.

– Ti stampo i dati principali, va bene?

Matteo annuí.

– Papà ho paura ,– implorò una vocina infantile, – c'è il croccodrillo!

Si voltarono tutti e tre. Dopo tutto, c'era un bambino. Una bambina, per la precisione. Si era materializzata in cima alla scaletta che doveva portare alle camere da letto: biondissima, con un pigiama rosa e una manina che teneva stretto stretto per l'orecchio il suo orsetto Winnie Pooh. Aveva tutta l'aria di essere in procinto di scatenare una violenta crisi di pianto.

– Chiaretta! – esclamò Anna.

La bambina corse verso Roberto, che la sollevò al volo e la strinse forte.

– Amore, non c'è nessun coccodrillo.

Chiaretta baciò le guance del padre, poi si contorse tutta e indicò Matteo.

– E lui chi è?

– È Matteo, piccola. Un amico di papà.

Chiaretta inalberò un'espressione tra il giudizioso e il diffidente.

– Matteo... tu lo sai dov'è l'Isola che non c'è?

– Be', l'ultima volta che ci sono stato era dopo la seconda stella a destra... poi vai diritto e la trovi.

Chiaretta rise, rinfrancata.

– Hai visto, papà, che avevo ragione io?

– Parola di lupetto, – fece Roberto, tutto serio, – non me lo ricordavo. E adesso si torna a nanna!

La piccola si lasciò trascinare sino al primo gradino, poi s'impuntò.

– E il croccodrillo?

– Ma come, non lo sai? – intervenne, rassicurante, Matteo. – A quest'ora lui dorme. Sfido io, con tutto quello che ha mangiato!

Mentre Roberto, al piano di sopra, combatteva con Chiaretta, Matteo volle scusarsi con Anna.

– Non sapevo della bambina, altrimenti... Sono stato invadente.

La dottoressa rise.

– Mamma mia, come sei formale! Primo: smettila di darmi del lei; nemmeno Prosperi ci ha mai provato! Secondo: alla scuola di polizia non ti hanno insegnato a diffidare delle apparenze?

– Che vuole... che vuoi dire?

– Secondo te?

– Un enigma alla volta, per favore. Adesso concentriamoci sul Figlio dei fiori...

Sul volto di Anna si dipinse un'espressione maliziosa.

Finalmente Roberto tornò e si rimisero al lavoro.

Due ore dopo Anna, che s'era addormentata sul divano, fu svegliata dallo schiocco del *cinque* che i due eccitatissimi maschi si erano scambiati.

Con poche, secche battute, Roberto la mise al corrente dell'esito della ricerca: avevano isolato tre delitti che presentavano caratteristiche riconducibili al loro uomo. Prima fra tutte, il bastoncino d'incenso. Rosso. Come quello trovato dalla Maltese. Con l'omicidio del Kursaal facevano quattro. Prosperi doveva arrendersi all'evidenza.

Anna aveva insistito per fare due passi a piedi. Matteo si sentiva crollare dalla stanchezza. Mentre percorrevano un brutto viale scarsamente illuminato, in un perfetto silenzio di saracinesche serrate, fu nuovamente assalito dal ricordo di Janice. Erano usciti insieme per un paio di mesi, c'erano stati alcuni episodi erotici, ma tutto s'era arenato sulla freddezza di lui. «Hai qualcosa dentro e non riesci a tirarla fuori» era stata la diagnosi di lei; «forse solo sul lavoro sei veramente te stesso». Ma in questa notte fredda di febbraio Matteo sentiva avvicinarsi un pericoloso abbassamento delle sue difese. Colpa di Rimini? Colpa di questo ritorno inatteso che cominciava nonostante tutto ad accettare? Colpa di questa bella donna ciarliera e piena di sole che invitava alla confidenza?

– Insomma, – stava dicendo Anna, – hai pensato che io e Roberto... ma che idea! Siamo come fratelli, noi due. Sai, Robi è quello sfortunato che s'innamora sempre della donna sbagliata... sua moglie, per esempio, Michela. Pensa, un giorno conosce un santone indiano, uno di quelli coi vestiti colorati che hanno scoperto il kharma e sono dispostissimi a metterti a parte del prezioso segreto... pagando, s'intende.

– Conosco il tipo.

– Lei pianta figlia e marito e segue il suo guru... così, dalla sera alla mattina. Adesso sta a Poona, a intrecciare cestini per la gloria degli dei! Povero Roberto! E tu? Hai qualcuno?

– Io? Io non ho tempo...

Anna si avvitò su se stessa, giungendo le mani in un gesto teatrale.

– Non ho tempo! Dio, ti ringrazio di avermi finalmente fatto incontrare un Vero Uomo!

Matteo si sentí avvampare.

– Non mi è venuto niente di meglio, scusami, – borbottò, cercando di recuperare.

– Basta, basta, ti prego! Sarà meglio che parli io per tutti e
due. Allora: ho ventinove anni, precoce negli studi, molto do-
tata professionalmente, dicono. Hobby: tutto ciò che tira verso la vita.

– E io che pensavo che un'anatomo-patologa preferisse luoghi tranquilli, senza troppa confusione!

– Come no, magari con i tavoli di marmo e una bella compagnia di amici orizzontali.

Anna parlava, parlava. La sua voce era chiara, ricca di inflessioni e musicalmente modulata. Subito dopo la laurea, mentre frequentava la scuola di specializzazione in criminologia,
Matteo s'era iscritto, tra lo scetticismo dei suoi compagni di
studi, a un corso di storia delle religioni. Aveva imparato cose
che lo avrebbero aiutato non poco a tracciare il profilo psicologico del camionista di Seriate, un serial killer del genere *missio-
nario* che sul modello del *Figlio di Sam* riceveva ordini direttamente dalla Voce di Dio. Aveva imparato anche che, secondo
i mistici della Cabala, la voce è tutto, perché proviene direttamente da Dio. Che cosa non può una Voce nella quale è il Soffio, stava scritto? Dal suo canto, non era mai riuscito a provare nessun genere di trasporto per una donna che non avesse una
bella voce.

– Oh, mi ascolti? Ma dove sei finito?

– Anna, – sussurrò lui, come colto da un pensiero improvviso, – sai dov'è l'albergo Faro d'Oriente?

Presero il lungomare in direzione di Riccione. Vecchie fab-
briche abbandonate, case basse sulla sinistra, persino l'ululato
salmastro del mare sembrava comunicare qualcosa di lugubre.
Si arrestarono davanti a un vecchio cancello verde e scrostato,
sormontato da un'insegna che il vento faceva ondeggiare sini-
stramente.

– Ecco qua, il cuore dell'Abissinia. Sai che ci hanno anche fatto un film? Si chiamava proprio *Abissinia*. Comunque,
non è certo per vedere posti cosí che i tedeschi sborsano i loro marchi. Ma se ci tieni c'è una discoteca afro a un mezzo
chilometro.

Matteo tentò il cancello, ma era sbarrato da un lucchetto arrugginito.

– È chiuso. Te l'ho detto, Matteo, qui d'inverno funzionano solo le discoteche. Magari domani rimediamo una barca e ci entriamo via mare.

Attirata dal rumore delle sbarre scosse, avanzava dal lato mare una sagoma nerastra. Quando fu piú vicina, Matteo e Anna si accorsero che si trattava di una prostituta nigeriana. La donna si accostò incuriosita, osservò per un istante i due nottambuli, poi se ne tornò caracollando ai suoi traffici marini.

– Si può sapere che cosa ci trovi in questo posto?

Anna stava perdendo la pazienza. Matteo inspirò profondamente, la fissò con tutta l'intensità di cui era capace e finalmente glielo disse.

– Io qui ci sono nato.

– Sei nato in un albergo?

– Mia madre ci lavorava.

– E come mai sei finito a Milano?

Matteo si strinse nelle spalle. Confidarsi con Anna lo aveva prostrato. Il peso dei ricordi si era sollevato per un breve istante, ma ecco che tornava a gravare, insostenibile, sulla sua coscienza. Anna annuí. Sapeva comprendere il silenzio dei sentimenti, sapeva rispettarlo.

Sviluppando un concetto che ho faticato non poco a elaborare, ma che, da quando ho accettato, rappresenta per me il faro di ogni mia azione, posso oggi in piena coscienza affermare che il padre può tradire il figlio. Il tradimento del padre è uno dei sentieri primari dell'esistenza. E il tradimento è una componente irrinunciabile dell'Amore. Cosí sta scritto nel Giusto Ritmo delle cose. Senza il tradimento del padre non c'è sviluppo, crescita, progresso del figlio. Non c'è nemmeno, a voler essere precisi, il Padre. E, ovviamente, dove non c'è il Padre non c'è il Figlio.

Non pretendo di essere compreso, non mi illudo di essere accettato. La verità alla quale sono approdato è troppo estrema e deva-

stante per poter essere concepita e fatta propria dalla meschina umanità.

So, però, che un'altra idea, anch'essa ben presente in me e altrettanto importante ai fini della mia opera, incontrerebbe, se espressa con le dovute forme, nei modi che mi sono propri, universale accettazione.

Si tratta dell'idea che potrei tradurre in questa semplice frase: il
tradimento del figlio verso il padre è inaccettabile perché altera il
Giusto Ritmo del tempo.

Ma di questo a tempo debito.

Stamattina G. è uscito presto. Infagottato in un cappotto senza
pretese, diligentemente sbarbato, con un maglione di colore neutro
e ampi calzoni di morbida lana, ha spinto nelle strade quel suo goffo
corpo di quarantenne sovrappeso, inconsapevole della mia presenza, forse inorgoglito da quel senso di liberazione che deve aver provato, sia pure per un breve istante.

Ma io ero dietro di lui; il mio sguardo vigile accompagnava i
suoi passi, aleggiava nello spazio breve tra la sua nuova frenesia e
la mia sapiente attesa ciò che sopravvive di quella corrente di sim-
patia che ci ha legato per cosí tanti anni e che il destino, solo il destino, G., te lo giuro, ha sarcasticamente deciso di interrompere.

Ah, G., G.! Un po' della mia stupefacente capacità d'intuire il
pericolo dev'essere penetrata nel tuo cervello primitivo, se con cosí pronta attenzione hai saputo cogliere i minimi segnali che impru-
dentemente sono sfuggiti al mio autocontrollo. Piccoli gesti, un tono di voce, un'occhiata piú sfuggente del solito, ti è bastato cosí poco per capire! Dovrei essere contento. Bravo, G.! Ma so già che in
fondo alla pericolosa strada che hai intrapreso non potrà che esserci la catastrofe. È a questo, dunque, che deve ineluttabilmente con-
durre il tradimento del padre?

Ora sei qui, su questa spiaggia semideserta, sulla rena umida che
conserva le impronte dei furori bestiali a cui l'umanità senza onore si è abbandonata nella nera notte. Con sguardo che vorrebbe essere rapace, hai puntato quella donna dai capelli rossi. Potrà avere
trent'anni, il fisico un po' appesantito, giurerei che le sue mani hanno le nocche rosse e le unghie rosicchiate, i segni di una prolunga-

ta consuetudine con i mestieri. Ecco che si gira. Ha un volto antico, nonostante il trucco, volti cosí non se ne vedono piú tanti dalle nostre parti; questa donna viene dall'Est, forse una cameriera polacca, oppure no, una turista russa fuori stagione.

In ogni caso, non sai niente di lei, non hai niente di lei, se non queste poche istantanee che stai rubando con l'apparecchio fotografico: una passeggiata sulla battigia... le gambe nel nylon lasciate libere dalle scarpe lanciate con sbarazzina negligenza sulla sabbia... quel modo ruffiano, un po' televisivo, di passarsi una mano tra i capelli... com'è commovente l'impegno con il quale ti prefiggi di ripercorrere le tappe del doloroso percorso che in tutti questi anni mi sono sforzato di insegnarti... com'è stata vana la mia fatica...

Ma procedi pure, G. Mostrami ciò di cui sei capace. Fammi omaggio del tuo dono filiale. Staremo a vedere. Interverremo solo se necessario. Trepidanti, comunque.

In questo si risolve l'ambivalenza di noi padri: col tradimento stimoliamo i figli ad allontanarsi da noi, ma il loro ineluttabile distacco ferisce il nostro cuore.

3

Prosperi arrivò per ultimo in sala operativa, preceduto da un rumore di porte sbattute e di passi pesanti. Roberto, Ippoliti, la Rubino e un paio di facce nuove occupavano un tavolo ovale pieno di portacenere stracolmi di mozziconi. In piedi, accanto a uno schermo bianco, Matteo Colonna giocherellava con il comando di un proiettore di diapositive.

Prosperi salutò tutti con un grugnito e andò a sedersi accanto alla Rubino. Roberto spense le luci. Sullo schermo apparve una mappa della costa adriatica. Matteo parlò con voce decisa.

– I delitti sono tutti avvenuti in Riviera. L'arco temporale è vasto. Il primo omicidio che abbiamo collegato alla stessa mano risale all'81. Va detto però che il nostro archivio informatico arriva sino al 1980, ma Fernandez mi ha promesso che farà un'accurata ricerca anche sui delitti precedenti a quella data. Le vittime finora accertate sono quattro, compresa la Maltese. Tutte donne. L'assassino le sceglie, ne studia le abitudini, colpisce solo quando si sente pronto, assolutamente sicuro di sé. Aggredisce le vittime quando riesce a sorprenderle da sole. Poi, dopo averle uccise, le trasporta altrove. Ora vi mostrerò alcune diapositive relative al rinvenimento dei corpi. Sono tratte dai rilievi tecnici effettuati all'epoca dei delitti. Fernandez le ha sviluppate a tempo di record. *Clic*. Questa è Linda Gualfucci. 1981. Cameriera. Ritrovata in un bosco, sepolta dalle immondizie dei campeggiatori della domenica. È stata prima massacrata a calci e pugni, e infine strangolata. Delitto insoluto: gli inquirenti seguirono la pista del tentativo di violenza finito male per la reazione della vittima. *Clic*. Passiamo alla seconda, Doriana Germondari. 1988. Casalinga. Ritrovata in spiaggia vicino allo scarico delle fogne. La morte sopravvenne a seguito di dissanguamento, in conseguenza dello sfondamento violento dei timpani. Del delitto fu accusato uno zingaro, un giostraio nomade che, si disse, ronzava intorno alla Germondari. L'uomo è tuttora ricercato. *Clic*. L'ultima... a parte la Maltese, ovviamente, si chiamava Morena Dall'Angelo. 1994. La Dall'Angelo era una prostituta d'alto bordo, con una selezionatissima clientela di imprenditori, alti funzionari e gente dello spettacolo. Fu ritrovata in una discarica. Aveva i piedi bruciati. I clienti fissi della donna avevano tutti ottimi alibi, come potrete facilmente immaginare. Visto però che, oltre a battere, lei si drogava, all'epoca si pensò a un regolamento di conti nell'ambiente degli spacciatori. *Clic*. La quarta è Francesca Maltese, e non credo che sia necessario parlarvene.

A un cenno di Matteo, Roberto accese le luci. Matteo considerò il pallore dell'ispettrice Rubino, la grinta un po' stolida di Ippoliti, l'aria stranita di Prosperi. Le due facce nuove prendevano appunti su piccoli notes.

– Va' avanti, – disse Prosperi, staccando un brandello di toscano. Matteo si schiarí la voce.

– L'assassino non le violenta, ma la componente sadica dei delitti è evidente. Brucia sempre in casa della vittima uno o piú bastoncini rossi d'incenso. Sempre dello stesso tipo. Se controllate i reperti, vedrete che almeno un bastoncino è sempre stato ritrovato. Fa parte del suo rituale. Come la musica. In due occasioni, Germondari e Maltese, qualcuno l'ha sentita, questa musica. Ma nessuno è ancora riuscito a individuarla. Nel delitto dell'88 e in quello del '94, Germondari e Dall'Angelo, per intenderci, le vittime furono sottoposte ad analisi sierologica. In tutti e due i casi è risultato che, prima di essere soppresse, erano state drogate con la paracodina.

– Non lascia impronte, – s'inserí Roberto Fernandez.

– È sempre piú organizzato. Non si preoccupa piú che la vittima venga scoperta subito dopo l'omicidio. Ha ucciso la Maltese entrando in albergo dalla porta principale. L'identikit...

quello che abbiamo diffuso... ci mostra un maturo hippie con barba, capelli lunghi, occhiali da vista. Può darsi che il nostro abbia davvero bisogno delle lenti, ma per il resto è solo un travestimento. Dalla deposizione del portiere sappiamo che si tratta di un uomo di cultura medio-alta, senza particolari inflessioni dialettali. Ha cominciato a colpire, a quanto risulta, quasi vent'anni fa. Usa una musica difficilmente riconoscibile e sicuramente non alla moda. Se considerate anche i bastoncini d'incenso... direi che il rituale ha qualcosa di antico, comunque di non recente.

– Un vero figlio dei fiori, dunque, – commentò Prosperi.

– Già. Deve avere almeno 40 anni, ma aspettiamo il controllo sugli anni precedenti al primo delitto. Potrebbe essere anche meno giovane. In ogni caso, nel suo... lavoro è bravo, bravissimo. Deve avere un quoziente intellettivo decisamente superiore alla media. Non sottovalutiamolo. Domande?

Seguí un lungo, imbarazzato silenzio. Fu Prosperi a romperlo.

– Come lo prendiamo?

Matteo sorrise.

– La televisione e i giornali non parlano d'altro. E lui lo sa. Uscirà allo scoperto. Farà il suo primo errore. Ho finito.

Uscí a passo sostenuto. A metà del corridoio, il vicequestore lo afferrò per un braccio, costringendolo a voltarsi.

– Va bene, mi hai convinto. Sí, va bene, abbiamo il maledetto psicopatico. Ma non montarti la testa. I tuoi sistemi non mi piacciono.

– Non è un mio problema, – ribatté Matteo, asciutto.

Ippoliti e Roberto, che stavano per raggiungerli, si bloccarono a distanza di sicurezza. Prosperi soffiò una nube di fumo sulla faccia di Matteo.

– Sai una cosa, Colonna? Tu avresti bisogno che qualcuno ti insegnasse la buona educazione. Se io fossi stato tuo padre, ti avrei riempito di schiaffi!

Matteo non rispose. Nel suo sguardo deciso s'era insinuata come una sfumatura d'insicurezza che lasciò interdetto Prosperi. Era stato troppo duro? Si era spinto oltre? Dopo tutto, il

milanese aveva vinto sul campo, e sarebbe stato piú leale riconoscere la sconfitta e rimboccarsi le maniche. Insieme. Ma non
ci fu tempo per le scuse. Dal fondo del corridoio avanzava un
confuso, tumultuoso, disordinato vociare.

– Porca vacca, i giornalisti! – mormorò Ippoliti.

– Ippoliti! Ti avevo ordinato di non far entrare quella massa di… Adesso te la vedi tu!

– Capo, non è colpa mia! Sono entrati dall'ingresso secondario.

– E allora noi ce la battiamo da quello principale. Svelti! E
nessuna dichiarazione, capito? Silenzio stampa!

Ma i giornalisti ne sapevano troppo della vita per lasciarsi
depistare dal giochino degli ingressi. Si erano divisi in due drap-
pelli. E il piú agguerrito se ne stava in attesa proprio nell'atrio
che menava all'uscita principale della questura.

– Dottor Colonna!

– Commissario!

– Una dichiarazione!

– Il Figlio dei fiori colpirà ancora?

– È vero che è già accusato di sedici delitti?

– È un nuovo caso Bilancia?

Mentre si sforzava di resistere all'urto dell'orda, Matteo fece in tempo a notare, con la coda dell'occhio, il piccolo uomo
dall'aria insignificante che si sbracciava per attirare la sua attenzione. Non aveva l'aria del cronista d'assalto, e sembrava
che avesse un disperato bisogno di parlare con lui. Ma subito
due robuste braccia lo afferrarono, trascinandolo, quasi gettan-
dolo di peso in strada. Il portoncino si richiuse alle sue spalle.
Prosperi, finalmente rilassato, gli faceva cenno di andarsene al
piú presto. Una piccola squadra di agenti sbarrava la soglia. Il
vicequestore aveva chiuso dentro i giornalisti. La fugace impressione di un istante svaniva nel solicello di mezza mattina.

Davanti a un caffè americano e a un croissant, Matteo tirò
un sospiro di sollievo. Aveva rischiato e aveva vinto. Niente fuga precipitosa a Milano. L'inchiesta decollava. Conoscere l'av-
versario era il primo passo. Il secondo individuarlo. L'ultimo,

il piú difficile, neutralizzarlo. Ma ormai erano una squadra, e volente o nolente Prosperi avrebbe finito con l'accettare l'idea. In ogni caso, finché l'adrenalina della caccia teneva...

Si avviò deciso. Aveva intenzione di passare in obitorio, per controllare l'andamento della reazione di potassio. Dal tasso di questo minerale nell'umore del cristallino si può fissare, con quasi assoluta certezza, l'ora della morte. Il range ipotizzato da Anna, quattro ore circa, poteva essere significativamente ristretto. Stava cominciando a farsi un'idea del Figlio dei fiori. Comunque fosse andata l'analisi del potassio, lui era rimasto almeno per un po' a vegliare il cadavere della Maltese. Ma quanto? Era importante saperlo. Il delitto non si esaurisce nell'azione di un momento. Il delitto ha un suo giusto tempo. Un ritmo. Saperlo cogliere significava svelare comunque qualcosa del suo autore.

Per questo voleva vedere Anna. Per questo, e anche per Anna, certo.

Si accorse di essere seguito quando notò, nella vetrina di una pasticceria, i movimenti dell'uomo. Era lo stesso che cercava di attirare la sua attenzione nel commissariato. Svoltò un angolo, poi un altro, per prenderlo alle spalle. Ecco, ora lo aveva inquadrato. Si stava guardando intorno, circospetto ma anche indispettito. Erano in una viuzza deserta. Matteo gli andò dietro e gli batté su una spalla.

– Va bene. Cosa vuole da me?

L'uomo si voltò, trasalí, il pallore si diffuse sul suo volto incorniciato da piccole lenti con la montatura in tartaruga. Aveva i capelli corti e brizzolati, pantaloni sportivi, una polo colorata sotto un trench che aveva conosciuto tempi migliori. Insignificante, l'aveva giudicato a primo sguardo. Non brutto, comunque, non privo di una certa dignità.

– Matteo... Matteo Colonna?

– Perché mi segue?

– Mi chiamo Davide Zanetti. Ti ho visto in Tv alla conferenza stampa e non ho potuto resistere. Dovevo vederti.

– Perché?

– Ti prego, ascoltami. Ci ho messo trent'anni per trovare il

coraggio e se non ti avessero mandato proprio qui a Rimini non
mi sarei mai deciso...

– Insomma, chi è lei?

L'uomo si lasciò sfuggire un respiro disperato.

– Matteo, sono tuo padre!

In seguito, avrebbe cercato spesso di cancellare quel primo
incontro. Ma le immagini tornavano a popolare la sua mente.
Tutto ricordava, e avrebbe ricordato per sempre. Il tavolino
precario che una premurosa barista di mezza età aveva disposto direttamente sulla sabbia, il colore delle due sedie, la macchina per la pulizia della spiaggia che passava e ripassava rimuo-
vendo residui di vecchie palanche, filamenti di alghe, conchi-
glie e granchiolini, persino il sapore del caffè che si era fermato
a metà della gola e non voleva saperne né di scendere né di risalire.

– So di non meritarti, ma... volevo dirti che sono orgoglioso di te.

L'uomo che sosteneva di essere il padre che Matteo non aveva mai conosciuto gli aveva porto due fotografie e una vecchia
bobina formato superotto.

– Un filmino girato al mare... io e tua madre.

Le foto: una festa di Carnevale, una ragazza, bellissimi occhi
splendenti, quegli occhi che lui avrebbe visto troppo presto coperti dal velo della malattia, dall'ombra nera della morte... Un
giovane uomo, una corrente affettuosa tra i due... Lei è la dami-
na del '700, lui uno Zorro baffuto e virile... E ancora la ragazza. Soffia su di una torta piena di candeline. La vita è tutta un'u-
nica, ininterrotta promessa. La voce dell'uomo, ricca di trattenuta commozione: – Laura... l'hai riconosciuta, vero? Zorro sono
io. Tu sei nato l'anno dopo, e tua madre si è trasferita a Milano.
Non voleva piú vedermi. Lo so, ho sbagliato... io volevo che abor-
tisse. Cosa vuoi che ti dica? Non mi sentivo pronto per avere un
figlio... Potessi tornare indietro, cambierei tutto.

Ma non esistono gli impossibili ritorni. Matteo posò sul tavolino il filmino e le foto.

– Che cosa vuole da me?

– Niente... volevo solo... volevo che sapessi chi è tuo padre.

– Mio padre, certo! Ma cosa so io di lei? Niente! L'unica cosa che so è di non aver mai avuto un padre!

– Sí, sí, capisco che per te sono uno sconosciuto, ma ora... ora sono qui con te... non è troppo tardi, vero?

Era questo, dunque, che lo aspettava a Rimini. Era questo che aveva confusamente sentito quando quella bestia di Pompei gli aveva comunicato la meta della sua ultima, prestigiosa missione. E quel sapore amaro nella bocca... E l'uomo che continuava a parlare, parlare, persuasivo, insinuante. Era a questo che doveva l'interferenza che lo aveva quasi paralizzato davanti al corpo della Maltese? Un padre... come Erasmo Maltese. Ma qui l'abbandonato, semmai, era il figlio.

– Tua madre mi ha sbattuto fuori dalla sua vita. Non ha mai voluto che ti incontrassi. Ma io non volevo uscire dalla tua vita, e da un certo punto di vista non l'ho fatto. Ho sempre cercato di aiutarti. Puoi anche non credermi, ma...

Che cosa stava cercando di dirgli, quel... quel Davide Zanetti? Aiutarlo? Lui? Come? Aveva bisogno di tempo. Doveva elaborare. Riflettere. Aiutarlo. Lui!

– Ma che dice? Aiutarmi! Io non ho mai avuto bisogno dell'aiuto di nessuno!

Matteo si alzò di scatto. L'uomo emise una specie di lamentosa implorazione.

– Matteo, guarda questo filmino... ti prego. E poi, se credi, uscirò dalla tua vita. Ma dovevo...

La macchina per la pulizia della spiaggia passò vicinissima. Il rombo del motore si portò via le ultime parole dello sconosciuto. Matteo afferrò con un gesto rabbioso la bobina.

Mezz'ora dopo era in commissariato. Roberto stava improvvisando una storiella davanti al distributore di bevande calde.

– Un serial killer porta una bambina nel bosco. La bambina: «Ho paura, è tutto buio qui...» E lui: «Lo dici a me, che devo tornare da solo?»

L'aria cupa di Matteo gelò le risate dei presenti.

– Ohi, Matteo, che ariaccia! E quello cos'è? Un superotto! Ma esistono ancora?

– Roberto, mi serve un proiettore.

– Roberto procurerà un proiettore!

Fu solo nel tardo pomeriggio che il proiettore saltò fuori. Grazie all'insospettabile collaborazione di Prosperi, che aveva (parole sue) il vizio della memoria e non gettava via mai niente.

Nelle vecchie immagini un po' mosse, a tratti rovinate dall'usura del tempo, Laura, in bikini, faceva le smorfie davanti all'obbiettivo, sullo sfondo di una spiaggetta con gli ombrelloni rossi e blu ordinatamente allineati in cinque ordini di file. Su ogni ombrellone una scritta bianca:

HOTEL FARO D'ORIENTE

Laura che si tuffava, tra spruzzi e risate. Laura che tornava a riva, si rotolava sulla rena, si asciugava, tornava a insolentire l'obbiettivo. L'inquadratura stava per allargarsi.

Ma... ecco, tutto qui, è finita. Lo schermo torna bianco. Il ronzio del proiettore è l'unico commento sonoro alla solitudine della sala operativa.

Roberto accese le luci e posò una mano sulla spalla di Matteo.

– Tua madre era molto bella.

– Posso chiederti un favore?

– Dipende.

– Trovami tutto quello che puoi su un certo Davide Zanetti. È uno di qui, comunque vive qui...

– Davide Zanetti... il nome non mi dice niente.

– E un'altra cosa...

– Avanti.

– Mi serve una mezza giornata libera.

Jeff Buckley, Nick Drake, i King Crimson, Peter Gabriel, Van Morrison, tutti insieme appassionatamente in una compilation di ballate soffuse di malinconia; lo scompartimento deserto di un treno cadenzato dove l'isterismo di un riscaldamento infernale si alternava a spifferi rabbiosi di vento gelido. Briciole di ore per raggiungere Lambrate, una corsa sotto la pioggia sino al parcheggio dei taxi, ancora col walkman e il tempo di un'ultima canzone, questa volta il vecchio Donovan, *Wear Your Love Like Heaven*... Tutto di corsa, tutto senza fiato, tutto per non ·pensare. Tutto inutile.

Due o tre delusi trans battevano stancamente via Gioia. Il bar del Negro era chiuso. Dall'appartamento di Greta filtravano una tenue lucina, grevi risa maschili e rap a un volume tutto sommato accettabile. Prima dell'indomani sarebbe stato impossibile vedere suor Celeste. Matteo entrò nel suo disordinato soggiorno e scaraventò sul divano-letto il pacco di dépliant che aveva prelevato dalla cassetta della posta. Mise su un Cd di Bob Dylan (*Don't Think Twice, It's Allright*) e scaricò le e-mail. La polizia israeliana lo invitava a un meeting sui residui di sparo a Tel Aviv. Matti Kaukonen, esperto finnico, gli comunicava di avere scoperto, durante una perizia, che alcuni ex militari dell'esercito sovietico avevano realizzato un nuovo tipo di proiettile a innesco misto: hai capito quei figli di cane, scriveva l'amico Matti, sono riusciti a mescolare il titanio della vernice con l'antimonio e il fosforo dei calibri convenzionali! Il collega Pompei gli inviava copia dell'ordine di servizio con il quale era stata ufficializzata la sua destinazione a Rimini (tecnicamente, distacco *pro tempore* presso l'Unità di crisi). Lavoro, lavoro, lavoro.

In frigo trovò una confezione di yogurt alla frutta, due panini al salame congelati e una birra già aperta. Per fortuna c'era anche un gelato al cioccolato Häagen-Dazs, che divorò con l'avidità di un bimbo goloso. Da qualche parte sotto un mucchio di vestiti ammonticchiati alla rinfusa pescò una bottiglia di Calvados, memoria di un viaggio di qualche anno prima. Lo aveva conservato per gli amici. Il sigillo era intatto. I casi erano due: o frequentava solo astemi come lui, o non aveva un amico al mondo. L'aprí e mandò giú un sorso. Fu colto da un accesso di tosse e lasciò perdere. Mancavano almeno quattro ore all'incontro con suor Celeste. E neanche a parlare di sonno. Si collegò a Internet, bussò al sito riservato dell'Fbi, digitò la password e scaricò un po' di materiali sui delitti seriali per strangolamento. Ma la testa stava da un'altra parte: stava con Bob Dylan, «It's allright, ma, I'm only bleeding», o stava con le fotografie. Si decise a recuperarle, infine. Le aveva infilate nella libreria (una scaffalatura di ferro presa dagli zingari ad Affori), tra gli scritti di Lombroso e *Le illusioni perdute*, il suo romanzo preferito. Sapeva di farsi del male, ma non poteva piú rimandare gli appuntamenti con la memoria.

Si rivide bambino, sorridente, davanti alla torta del suo settimo compleanno. Gli ultimi giorni prima della malattia, Laura era ancora piú dolce e determinata. I suoi occhi scintillavano, e con che fiducia animalesca lui le reggeva la mano... e com'erano diversi i suoi occhi, appena tre anni dopo... era davvero lui, quel lungagnone senza un filo di grasso con la maglia azzurra numero undici? ... lo chiamavano Giggiriva... Giggiriva era orfano anche lui... e che botte menava suor Celeste quando sbagliava un dribbling o tirava alta una punizione...

Matteo richiuse l'album con un gesto rabbioso. Primo nel calcio, primo in matematica, in latino, in storia e in filosofia, primo in tutto quello che faceva, un talento dal futuro assicurato, il dotato allievo che dalla ferita dell'abbandono aveva saputo trarre la linfa del trionfo. A che sarebbe servito, a uno come lui, un padre? Ne aveva fatto a meno per tutta la vita, avrebbe continuato a farne a meno. «Va tutto bene, ma', sto solo sanguinando».

La mattina alle otto bussò al vecchio cancello dell'orfanotrofio.

Il tempo sembrava essersi fermato nel Pontificio Rifugio delle Oblate di largo Pontormo. O era la sensazione d'irrealtà che lo avvolgeva dal momento dell'incontro con Davide Zanetti a fargli apparire tutto cosí antico? Neri, gialli, albanesi o peruviani, i bambini che giocavano a calcio nello spiazzo sterrato avevano la stessa aria di feroce concentrazione, persino la stessa faccia della sua infanzia. Molti di loro si sarebbero perduti. Come Mirko, il suo primo amico. Il piccolo slavo che gli aveva aperto un'ala di protezione contro i piú grandicelli quando le porte dell'orfanotrofio si erano chiuse per la prima volta alle sue spalle e aveva capito di essere solo. Solo.

Ricordava tutto di quei giorni lontani, ogni minimo particolare. E ricordava tutto di quell'altra alba di piombo, tre... no,
quattro anni prima. Era appena stato promosso vicecommissario per *meriti straordinari*. Si parlava di medaglie. Aveva passato la notte con Linda, una psicologa siciliana dai lunghi capelli
neri. Appena ricevuta la telefonata di suor Celeste si era precipitato al Niguarda.

Ai carabinieri che avevano arrestato Mirko dopo un lungo
inseguimento contromano sui Navigli e annessa sparatoria aveva esibito, per evitare storie, il tesserino.

E quelli non riuscivano a capire per quale motivo a un neo-
vicecommissario di polizia stesse cosí a cuore la pellaccia di uno
slavo farabutto. Sulle prime avevano pensato male.

Era stata suor Celeste a risolvere la situazione, raccontando
agli onesti difensori dell'ordine soltanto una piccola parte della storia dei «ragazzi del Pontormo». I carabinieri si erano fatti da parte con un curioso misto di rispetto e incredulità. Ma
che ne potevano sapere?

– Forse resterà paralizzato, – aveva sentenziato il chirurgo,
un ragazzo meridionale dall'espressione corrucciata.

Suor Celeste si era fragorosamente soffiata il naso con un
Kleenex. Matteo le aveva spiegato che, in ogni caso, a Mirko
toccavano lunghi anni di galera.

Prima di essere inghiottito dalla sala operatoria, Mirko gli
aveva stretto forte la mano.

– Avevi ragione tu, Matteo, sono davvero una testa di cazzo.

La suora lo aveva benedetto. Matteo non aveva saputo che cosa rispondergli, ma era stato giusto trovarsi lí in quel momento.

Mirko non ce l'aveva fatta. Erano partiti dalla stessa solitudine, avevano scelto strade opposte, e poi gli era toccato dire
due parole al suo funerale.

– Matteo Colonna, benedetto Iddio! Da quanto tempo!

Suor Celeste doveva avere almeno sessant'anni, ma la stretta
delle sue forti mani e il vigore con cui, per abbracciarselo, lo sollevò da terra, erano sempre quelli di un tempo. *La donna cannone*
l'avevano soprannominata, in omaggio alla canzone di De Grego-

ri. Ma quanto doveva a quella mancata contadina friulana, a sten-
to alfabetizzata, quanto doveva al suo enorme cuore.

– Celeste, devo chiederti una cosa... riguarda Davide Zanetti.

La religiosa si segnò.

– È una faccenda delicata, Matteo. Non sono autorizzata a
parlartene. Lo sai che non si possono fornire agli estranei informazioni riservate.

– Io sono tutto fuorché un estraneo, Celeste...

– Non avrai mica un mandato, eh, Matteo?

– I mandati non esistono piú da anni. Parlami di Davide Zanetti.

Suor Celeste lo condusse nel refettorio. A Matteo si strinse
il cuore nel vedere che, anche lí dentro, tutto era rimasto uguale a un tempo. Le stesse file ordinate di tavolacci, le stesse pareti con crocefissi, ritratti di preti e di monache in atteggiamento ispirato se non proprio estatico, lo stesso odore di brodo di
pollo e di verdura.

– Sapevo che prima o poi mi avresti chiesto di lui, Matteo.
La madre superiora mi sgriderà per questo, ma penso che tu abbia diritto a una risposta, dopo tutti questi anni... Dopo la morte di tua madre, Zanetti ti ha mantenuto qui.

Matteo si sentí sprofondare in una vertigine. Ma non gli avevano sempre detto che la retta veniva pagata con i risparmi di
Laura?

– Era solo una bugia. Davide Zanetti faceva un bonifico ogni
sei mesi. È sempre stato puntualissimo. I pagamenti sono ces-
sati quando tu sei andato via. Non l'ho mai visto di persona, e
lui stesso mi aveva chiesto di non dirti nulla... L'hai conosciuto, vero?

Matteo si prese la testa tra le mani.

– Chi è Davide Zanetti?

– È tuo padre, Matteo... tuo padre.

Sul diretto che lo riportava a Rimini, Matteo ricevette due
telefonate. La prima a chiamarlo fu Anna. Dalle variazioni del
potassio nell'umore vitreo dell'occhio si poteva stabilire con cer-

tezza che Francesca Maltese aveva cessato di vivere alle 23.50. Secondo le testimonianze, il Figlio dei fiori aveva lasciato il Kursaal intorno alle 5 del mattino. Questo voleva dire che si era trattenuto nella suite per cinque ore. Cinque lunghe ore dopo averla uccisa. La seconda telefonata era di Roberto. Dai suoi accertamenti era emerso che Davide Zanetti risultava nato nel '43 a Sant'Arcangelo di Romagna. Celibe, nessun precedente penale, proprietario di un monolocale al numero 75 di via Anna Frank.

– Nel '74 ha aperto un negozio di giocattoli sul lungomare Di Vittorio. Ci lavora ancora. A suo carico risultano solamente un paio di multe e una segnalazione sulla patente per eccesso di velocità. Nel tempo libero si dedica ad attività di volontariato. Proprio una brava persona, insomma.

Anna gli aveva chiesto che razza di uomo potesse essere il Figlio dei fiori. Roberto perché gli interessava tanto questo Zanetti. A nessuna delle due domande Matteo aveva risposto.

G. mi ha mostrato le foto della donna. Ho simulato un educato stupore e gli ho chiesto che intenzioni avesse. Mi è sembrato indeciso: dapprima ha cercato di convincermi che lo avrebbe molto gratificato un mio intervento, poi, davanti al mio ironico scetticismo, ha cominciato a declamare frasi scomposte. I Salmi, il libro di Daniele, non mi è stata nemmeno risparmiata una citazione del Pellegrino Cherubico di Angelo Silesio. In questi momenti di esaltazione, G. diventa francamente sgradevole. Mi chiedo quale insana follia mi abbia spinto a investire tanti anni della mia vita su questo imperfetto prodotto del Dna.

– Tanto, se mi prendono diranno che sono pazzo...

Ho osservato seccamente che qualunque psichiatra di mezza tacca sarebbe in grado di smontare un delirio a base religiosa. G. ha ribattuto che non gli interessano le conseguenze. Pacatamente, allora, ho suggerito la piú sofisticata strada del controllo del pensiero: riferire che qualcuno è entrato dentro la tua testa e ne ha assunto il controllo: ecco un segno ricorrente e poco conosciuto della per-

*sonalità schizoide. Sfruttalo e nessuno potrà accusarti di essere sol-
tanto un simulatore.*

*G. ha preso a urlare, la bava alla bocca: volevo forse liberarmi
di lui? Stavo forse meditando un qualche tradimento?*

*La brutalità della mia successiva domanda (un «perché proprio
lei?» pronunciato a bassa voce, mentre ero apparentemente intento a
fissare, dalla finestra della sua casa, il lento, meticoloso attracco di un
treno merci carico di automobili) lo ha finalmente ridotto al silenzio.*

*Andrà senza sapere perché. Farà senza sapere perché. In tutti
questi anni di lento apprendistato non sono riuscito a insegnargli
niente che valga la pena di essere conservato. Il Giusto Ritmo resterà sempre per lui un'espressione priva di senso.*

*Ora posso seguire lo sviluppo della vicenda senza muovere un
solo passo. Lo accompagno con gli occhi della mente nel suo viaggio senza ritorno. Mi correggo: potrebbe anche esserci un ritorno.
Ma è chiaro che, dopo, niente piú sarà uguale a prima.*

*Il sole tramonta all'orizzonte. G. percorre il molo di legno che
conduce al pub, una sorta di palafitta rilucente piantata nel cuore
del limaccioso Adriatico. Lo hanno chiamato Millennium, questo
locale dozzinale dove l'odore della birra, dei profumi pretenziosi e
del sudore si mescola al tanfo ingovernabile dei feromoni.*

*Vedo i rivestimenti di legno, la barra del timone di una barca che
mai non navigò che fa bella mostra di sé dietro il bancone, in compagnia di una testa di cinghiale e di un vasto assortimento di liquo-
ri di marca. In posti come questo i segnali della tradizione si confon-
dono con quelli della moda, in omaggio a una mezz'età che ha scelto di sacrificare la propria identità ai riti dell'eterna giovinezza.*

Un grande schermo sulla parete trasmette video musicali.

*Dalle vetrate che affacciano sul mare parte la colonna sonora
ossessivamente irradiata dai diffusori occultati da colonnine di fin-
to marmo.*

*Una ragazza con l'anello al naso, le orecchie forate e le treccine
verdi spilla birra alla spina e appoggia il boccale sul lucido vassoio.*

*Con un piccolo slalom si libera dai clienti invadenti e va a ser-
vire quel quarantenne solitario, un po' goffo e un po' dandy, che
ha indossato, per l'occasione, un esagerato completo bianco.*

Due tavoli piú in là siede la donna della spiaggia. Le spalline dell'abito nero e attillato lasciano scoperta una porzione lentigginosa di pelle chiara. Il suo trucco è sapiente, la sua aria studiatamente annoiata, il suo desiderio un'urgenza che le torce le viscere.

G. si accende una sigaretta. Prende il suo bicchiere pieno e si alza, finge di guardarsi intorno, punta la donna, si avvicina, le sorride.

Lei lo invita a prendere posto. G. dice qualcosa di spiritoso, ma la sua voce è sommersa dal vociare e dalla musica.

È in questo momento, proprio mentre siede accanto alla donna, che si decide il suo destino.

Qualunque cosa accada, non si potrà dire che io non abbia cercato di metterlo in guardia. Già so che, presto o tardi, sarò costretto a intervenire.

– Non dimenticherò mai quell'ambulatorio. Il dottore aveva il camice sporco di sangue… a quel tempo l'aborto era un reato, sai… Quando venne il momento, tua madre ci ripensò e disse di no. Aveva deciso di tenerti, per fortuna… ma il dottore non ci lasciava uscire, voleva comunque i suoi soldi. Allora Laura… lei ha preso un vaso di fiori e glielo ha rotto in testa!

Davide Zanetti gettò via la sigaretta, per accenderne subito dopo un'altra. Si fermarono davanti a un piccolo luna park. L'uomo cercava il suo sguardo, ma Matteo fissava ostinatamente le giostre illuminate, la ressa dei bambini, l'ansia affettuosa dei genitori. Quanto gli era mancato tutto questo, in passato. E che brutta invidia provava ancora adesso per quei cuccioli felici!

– La riaccompagnai a casa, – proseguí Davide, – ero già pentito, credimi. Lei non parlava, non voleva che la toccassi. Dopo quella sera, non ha mai piú voluto vedermi.

– Una bella liberazione per te, eh?

– Non dire cosí, Matteo! Sapessi quante volte ho provato e riprovato a convincerla… Ma è stato tutto inutile. Laura era fatta cosí.

Sí, Laura era fatta cosí. Qualunque cosa ci fosse stata tra

Davide Zanetti e sua madre, lui aveva imparato a conoscerla. Ma era possibile che quell'uomo fosse davvero suo padre?

Ripresero a passeggiare. Zanetti ripeté che era stata tutta colpa sua, che se avesse potuto fermare il tempo, tornare indietro...

– Che hai fatto in questi anni? – chiese Matteo, brusco.

– Ho vissuto. Cosí, nel grigio. Qualche storia... niente di serio... ho lavorato molto, però...

– Già, il giocattolaio con la passione per il volontariato!

– Hai fatto indagini su di me!

– Deformazione professionale.

– Vieni, ti faccio vedere il mio laboratorio...

Zanetti lo condusse nel suo negozio, La Casa dei Giochi.

Nel vedere il bancone coperto di mostri di ogni genere e di playstation, e gli scaffali che traboccavano di animali di peluche, Matteo si sentí montare dentro un'onda di rancore. Al Pontormo aspettavano tutti con ansia il Natale: quando le ricche signore del centro mandavano a rottamare dagli orfanelli i vecchi giochi dei figli, liberandosi, in un solo colpo, della cattiva coscienza e delle cianfrusaglie che ingombravano la cantina.

Quante notti aveva sognato di restare chiuso in una bottega magica come quella! E com'era stato triste ogni risveglio nella brandina.

Aveva un padre giocattolaio, il sogno di tutti i bambini. E non l'aveva mai saputo!

Davide Zanetti sollevò con delicatezza un robot dagli occhi verdi, che lasciò partire un ululato di sirena.

– Ti presento Zadak, robot alieno che ripulisce la galassia dai terribili Topors, mostruosi esseri metà ratto e metà medusa. Ormai i ragazzi non vogliono altro che schifosi mostri... Però, – aggiunse, dopo una breve pausa, posando il robot, – tu sai tutto di me e io non so niente di te. Raccontami qualcosa, dai.

– Non è vero che non sai niente, – mormorò cupo Matteo. – Sei stato tu a pagare le rette in istituto, no?

– Hai scoperto anche questo? Non volevo che lo sapessi...

– Perché l'hai fatto?

– Che domanda! Sei mio figlio, no?

– Ah, già, sono figlio tuo! E com'è che te ne sei ricordato solo adesso... papà?

Zanetti gli dava le spalle, intento ad armeggiare con un voluminoso mazzo di chiavi. Con un gesto rabbioso, Matteo lo costrinse a voltarsi. Si fissarono per un istante. Poi il commissario partí con un violento destro al volto. Davide crollò a terra. E Matteo sopra di lui, con le nocche che gli sanguinavano e la vista annebbiata, e il cuore che gli doleva. Questo è per tutte le schifose minestre di cavolo che ho dovuto mangiare tutti i santi giorni, e questo è per la solitudine, lo sai che cosa vuol dire la solitudine? E questo per tutte le volte che ho dovuto dimostrare a tutto il mondo che essere senza nessuno che si prende cura di te non è una colpa. Vaffanculo, papà! Firmavi un assegno e ti scaricavi la coscienza, vero? Vaffanculo!

E Zanetti non reagiva. Incassava, mentre su ferite ed escoriazioni si venivano dipingendo le macchie di sangue; incassava quasi con un sorriso sul volto insignificante. Come se tutto, l'incontrarsi, lo scontrarsi, il conoscersi, la violenza, tutto facesse parte di un percorso obbligato.

Matteo si tirò su, ansimando. Zanetti respirava affannosamente.

– Hai ragione... ma piú diventavi grande e piú... era difficile... per me...

In quel preciso istante il telefonino di Matteo squillò. Era Roberto.

– Dove sei? Passiamo a prenderti, con me c'è il capo. Il Figlio dei fiori ha battuto un colpo!

Un violento acquazzone si scatenò su Rimini mentre l'auto, una vecchia Arna senza contrassegni guidata personalmente da Prosperi, puntava sull'ospedale. Matteo stava recuperando la padronanza dei nervi. Strada facendo, Roberto lo mise al corrente degli sviluppi della situazione.

– Questa volta se l'è presa con una certa Svetlana Liciuk, una russa, quarant'anni, a Rimini da una settimana, la classica turista a caccia di maschi... È viva per miracolo. Lui l'ha agganciata al Millennium, un pub sul mare, poi sono finiti a casa di lei, una villetta col giardino. Non so come sia riuscita a liberarsi. Lo sapremo dalla sua viva voce, comunque. Sulla scena dell'aggressione il nostro amico ha lasciato un mare di roba: impronte, peli, tracce di sangue, il sogno dello sbirro!

– Ha perso la testa e ha fatto una cazzata, – concesse Prosperi, che non smetteva di infilare un rosso dietro l'altro mordicchiando l'eterno sigaro. – Avevi ragione, Colonna.

– Si sente braccato, – disse Roberto. – È la volta buona, me lo sento. Pensa che ha bruciato il solito bastoncino d'incenso e ha persino lasciato un Cd di musica rock!

L'auto entrò sgommando nel vasto parcheggio. Ippoliti e la Rubino, che li attendevano sulla soglia dell'accettazione, li scortarono al pronto soccorso, dove, dopo aver vinto le resistenze del medico di guardia, incontrarono la donna.

Anche se aveva già ricevuto le prime cure, Svetlana mostrava impietosamente tutta la sua fragilità di quarantenne che doveva aver conosciuto momenti migliori. E non era solo colpa dell'aggressore, anche se una vistosa ecchimosi le deturpava il lato sinistro del volto, dove ancora c'erano i resti del trucco incrostato di lacrime, anche se sulla guancia destra c'era un taglio, anche se le labbra erano spaccate. La donna parlava un italiano approssimativo.

– Io cercato di scappare, ma lui ha chiuso porta a chiave... c'era la musica forte, lui urlava cose che non capisco... non so perché...

– È tutto finito, signora, ora è al sicuro, – la consolò Roberto.

Allergico al pianto delle donne, Prosperi cercava conforto nel sigaro. Spaventati dal suo cipiglio, medici e infermieri lasciavano fare.

Matteo sfoderò un tono pragmatico.

– Si ricorda qualcosa? Qualche parola dell'uomo? Può essere importante.

– Diceva... pagherai per le tue colpe... ma io non conosco lui. Chi ha mai visto?

– E poi? Cerchi di ricordare ancora.

– Mi ha colpita, non so come... io sono caduta e faccio finta che sono svenuta e lui ripete sempre: «Morirai... è la legge dei padri...»

– La legge dei padri... ne è certa?

– Sí... poi lui si volta, io prendo portacenere e colpisco qui...

– Sulla tempia, bel colpo! – ruggí Prosperi. La donna sorrise.

– Ho aperto finestra e mi sono buttata in giardino... Era elegante, sapeva un po' di russo... Mi sono fidata di lui. Sono stata stupida.

Svetlana scoppiò a piangere. Un'infermiera si precipitò a consolarla, fulminando con un'occhiataccia Prosperi che le aveva appena soffiato in faccia uno sbuffo di fumo. Matteo si fece dare da Roberto una foto della Maltese e, quando la donna si fu calmata, gliela mostrò.

– Mai vista, – disse Svetlana.

Arrivarono due agenti, incaricati dell'identikit. Prosperi andò a stringere la mano alla donna.

– Roberto, tu resta qui e senti se la signora ricorda qualche altro particolare. Il Pm sta per arrivare. Guarda che non faccia casino e poi vattene a casa. Io e Colonna andiamo a tuffarci nella ruggente vita notturna della Riviera!

A bordo dell'Arna, raggiunsero il Millennium Pub. Il locale era semideserto. Nessuno sapeva dell'aggressione. Prosperi maltrattò una cassiera riuscendo a farsi indicare il gestore, un quarantenne dall'aria strafatta, con pochi capelli e molti orecchini, e lo trascinò ruvidamente nell'*office* per una chiacchieratina esplorativa.

Matteo si guardò un po' intorno. Avevano già cominciato a sgomberare i tavoli dalle cartacce e dai vuoti di vetro, preludio all'imminente chiusura. *Lui* era stato qui. Aveva studiato, atteso il momento, agganciato, colpito. Ma cosí presto? E perché non sentiva quell'aura di odio che con tanta nettezza aveva percepito davanti al cadavere di Francesca Maltese? Eppure, *lui* era stato qui... Si accorse che la cassiera lo stava fissando.

– Lei è quello che è uscito in televisione... il poliziotto di Milano!

Matteo sorrise. La cassiera, una piacente moracciona dagli occhi di lupa, trasse un profondo sospiro.

– Ma è vero che c'è un maniaco in giro?

– Altroché! E forse lei potrebbe aiutarmi a catturarlo.

La moracciona sgranò due occhioni pesti di trucco.

Quando, mezz'ora dopo, Prosperi riemerse dal suo colloquio con il gestore, a Rimini c'erano un vecchio poliziotto sempre piú deluso dai cittadini e un nuovo cittadino sempre piú deluso dai poliziotti.

Quel tanghero! Non sa niente, non ha visto niente, non gliene frega niente di niente. Mi piacerebbe dare un'occhiata alla sua dichiarazione dei redditi, mi piacerebbe...

– Forse dovevi provare con la cassiera.

– Figurati! Faccio questo mestiere da trent'anni e non ho ancora conosciuto una cassiera disposta a collaborare.

– Magari dipende da come uno glielo chiede.

– Che vuoi dire, Colonna?

– Che il nostro uomo era seduto a un tavolo in fondo alla sala, indossava un completo bianco con un fiore all'occhiello e prima di agganciare la russa ha passato qualche minuto chiacchierando con una cameriera.

– Che mi prenda... una cameriera, eh?

– Si chiama Samantha Bizzarri e abita non lontano da qui. Ha smesso di piovere. Ti va di andarci subito?

Samantha Bizzarri viveva in un cadente palazzotto a due piani nei dintorni della stazione ferroviaria. Sul citofono c'erano solo due indirizzi, Studio Uno e Studio Due. Prosperi si attaccò prima all'uno e poi all'altro; alla fine, visto che nessuno gli dava soddisfazione, a tutti e due insieme.

– Studio Uno... Studio Due... sento aria di mignottume.

Finalmente una finestra al piano alto si spalancò. Nel rettangolo illuminato da una fioca luce rossastra si delineò la sagoma di una ragazza con corti capelli neri scomposti.

– Ma chi è?

– Samantha Bizzarri? – scandí deciso Prosperi.

– Ci mancherebbe! Chi la cerca?

– Polizia.

– Che diavolo ha combinato quella matta?

– Niente. Dobbiamo solo farle qualche domanda. C'è o no, insomma?

– Non c'è, stanotte non è rientrata.

– Saprebbe dirci dove possiamo trovarla? – intervenne Matteo.

– E chi lo sa? Forse dal suo ragazzo.

– Come si chiama?

– Chi? Io?

– Il suo ragazzo, santa pace! – sbottò Prosperi.

– Saperlo! Ne cambia uno alla settimana, ne cambia.

La finestra si richiuse. Prosperi sacramentò prendendosela con la sconosciuta (sicuramente una prostituta), con il traffico di droga che aveva inquinato la Riviera e, infine, con l'Italia nel suo complesso.

– Sai qual è il problema di questo benedetto paese, Colonna? L'indifferenza della gente!

– E sai qual è il tuo problema, Prosperi? Che vedi il male dappertutto.

– No, caro, qui ti sbagli. Il mio problema è che mi va un bicchiere e mi va anche di farmelo in compagnia. Detesto la figura del vecchio poliziotto solitario e ubriacone.

Se era un invito, pensò Matteo, capitava al momento opportuno. La giornata era stata intensa, per certi versi sconvolgente e segnata dal riaffiorare del suo antico dolore. Ma sfogarsi con Zanetti gli aveva fatto bene. Era come... come una seconda nascita. In tutti i sensi. In che modo spiegare, altrimenti, quel senso di liberazione che si stava impadronendo di lui?

– Andiamo, capo. Vuol dire che mi farò un succo di pompelmo.

– Sí, ma non esagerare, eh? Domani alle nove ti voglio in ufficio.

Finirono al bar del Grand Hotel, dove tutti salutavano con deferenza Prosperi e uno sparuto drappello di turisti americani di mezz'età, calvi, sovrappeso e orribilmente abbigliati, cercava di attaccare bottone con un paio di annoiate cameriere.

– Sai perché vengo sempre qui, Colonna?

– Perché questo era il posto preferito di Fellini.

– Risposta sbagliata. Perché qui posso fumare il sigaro in santa pace senza che qualcuno mi rompa i coglioni.

Il monologo nel quale Prosperi aveva riversato la sua contraddittoria *Weltanschauung* di vecchio uomo d'ordine e di inveterato romagnolo progressista andava avanti da tre razioni di ron agricolo della Martinica quando la coppia entrò nel locale. Lui era un giovane torello in completo bianco e codino, il classico animale da bar abbronzato, strafottente e tatuato; lei una ragazza minuta, elegante, e lo seguiva a piccoli passi devoti. Il volto di lei non gli era nuovo. Matteo osservò Prosperi: fissava anche lui la coppia, ma rigido, e con una luce di ghiaccio negli occhi che non prometteva niente di buono. Matteo ricordò dove aveva visto la ragazza: in una fotografia nell'ufficio di Prosperi. Era Mirella, la figlia.

Anche la coppia aveva notato Prosperi. L'uomo con un lieve sobbalzo, Mirella con un sorriso disarmante. Matteo seguí con interesse il conciliabolo tra i due. Era chiaro che il ragazzo se la sarebbe volentieri data a gambe. Mirella insisteva per un saluto al padre. La spuntò lei.

– Ciao, papà.

– Buonasera, dottor Prosperi.

Prosperi, che fingeva di essere impegnato nella delicatissima operazione di segare in due metà perfettamente combacianti il toscano, annuí con un cenno volutamente distratto. Matteo si alzò e si presentò. Il ragazzo, che si chiamava Rolando, aveva piccole rughe intorno alle occhiaie e la pupilla dilatata. Probabilmente si fa, decise Matteo; Prosperi lo sa e l'idea che la figlia esca con lui lo fa uscire di testa. C'era in giro una pericolosa aria di regolamento di conti in famiglia.

– Forse è meglio che vada, – azzardò. Prosperi lo tirò giú a sedere.

– Vanno via prima loro, vero, Mirella?

– Papà, quanto andrà avanti ancora questa storia? Rolando è pulito. Pulito. Vuoi mettertelo in testa, una buona volta?

– Glielo giuro, dottore, io con quella roba ho chiuso!

– Un altro ron! – ruggí Prosperi, all'indirizzo della cameriera che si affrettò a scomparire dietro una porta di servizio. Gli americani avevano smesso di vociare e seguivano anche loro con grande interesse la scena.

– Papà... Rolando e io ormai stiamo insieme da un anno.

Matteo non sapeva dove piantare gli occhi. Mirella si sforzava di mantenere un tono calmo, persino suadente. Rolando sorrideva come un ebete. Prosperi esalò un «vedremo, vedremo», accettò di sfiorare la mano che il ragazzo protendeva e infine sospirò di sollievo quando i due si allontanarono. La cameriera si presentò con una doppia dose di ron, che Prosperi tracannò senza prendere fiato.

– Due anni e sei mesi per spaccio, altri due in comunità. Famiglia ricca che se ne fotte, sai com'è, pagano un prete e si scaricano la coscienza. E mia figlia gli va dietro come un cane!

Matteo si chiese se doveva aggiungere qualcosa o se era piú prudente osservare il silenzio.

– Ora giura di essere disintossicato... tu che ne dici?

Prosperi lo fissava come in cerca di un'ancora di salvezza.

– Lei è pulita. Si vede lontano un chilometro...

– Ci mancherebbe altro! – Prosperi picchiò un pugno sul tavolino. Gli americani scattarono in piedi e come un sol uomo si avviarono al meritato riposo notturno.

– Forse, – aggiunse Matteo, – è un'edizione riveduta e corretta di *Io ti salverò*: lei lo ama e vuole cambiarlo.

– Scusami, ma non riesco proprio a vedere il lieto fine, – tagliò corto Prosperi, amaro. Ma il suo sguardo esprimeva gratitudine.

4.

Un altro giorno piovoso e freddo. Matteo entrò nella sala operativa accolto dal saluto cameratesco di Roberto, di Ippoliti e della Rubino. Si stava creando il clima giusto. Rispetto, appartenenza. Magari, pensò con un sorriso, Prosperi, dopo la notte di confidenze, aveva diramato una direttiva in poche battute: il milanese ha passato l'esame.

L'identikit del Figlio dei fiori faceva bella mostra di sé alla parete. Alle foto delle vittime Ippoliti aveva aggiunto l'istantanea di Svetlana con il volto tumefatto dalla violenza del serial killer.

– Senti un po' questa...

Roberto aveva infilato un Cd in un lettore. Un breve fruscio, e poi una musica d'altri tempi invase la sala.

– Le dice niente, commissario? – gli chiese Ippoliti.

– No.

– *Silence* dei Flying Objects, – precisò Roberto.

– Mai sentiti.

– Ti credo. Hanno fatto solo questo disco. È la canzone preferita del nostro amico. Estate 1972. È pure entrata nella hit parade!

Matteo si fece dare le cuffie e si concentrò sulla musica. Qualcosa a metà tra un rock psichedelico anni '70 e un'intelligente rilettura in chiave *sofisticato recupero della memoria*. La musica del Figlio dei fiori. Piano, sassofono, chitarre laceranti... anno 1972... doveva esserci un motivo per questa scelta. Anno 1972... Matteo si tolse le cuffie. Roberto lo informò che il Cd era stato ristampato da un paio d'anni.

– È distribuito dalla Emi. Questo esemplare è stato acquistato in un negozio di lungomare Di Vittorio. Ma naturalmente non è possibile sapere da chi.

– La musica, l'anno... Tutto ha un senso, tutto è importante, – disse Matteo. – Hai fatto quelle ricerche sui delitti precedenti al 1981?

– Sono in programma, – Roberto allargò le braccia. – Dammi solo un po' di tempo...

– Può darsi che sia solo un caso, d'accordo, ma... un bastoncino d'incenso... un disco del '72... un trucco da hippie... potrebbe davvero essere un figlio dei fiori...

– Come Satana Manson?

– No. Lui è diverso. Manson aveva una banda. Si eccitavano e poi squartavano. Lui è un freddo, un calcolatore.

– Ma quanti anni ha, secondo te?

– Tutti quelli che gli sono serviti per imparare a uccidere... E poi, Roberto, bisogna sapere tutto sulle vittime.

– Le faccio portare i dossier? – suggerí l'ispettrice Rubino.

– Non sono sufficienti. Ciò di cui abbiamo bisogno è proprio quello che manca nei dossier.

– Che cosa dobbiamo cercare? – chiese Ippoliti.

Matteo sospirò.

– Le vittime avevano... dev'esserci qualcosa in comune tra loro. Ma non sappiamo ancora cosa. Non dobbiamo trascurare niente. Genitori, amiche del cuore, figli, amanti, relazioni sociali, i negozi dove andavano a fare la spesa, oppure quante volte al mese andavano dal parrucchiere... tutto.

– Madonna Santa! – sbottò Ippoliti.

– È importante. Chiederemo rinforzi, Prosperi non ce li negherà. Ci servono anche le chiacchiere, i pettegolezzi, i sospetti... tutto. Bisogna andare in giro, chiedere, ascoltare...

– Andare in giro! Ma sono già tutti in giro! A cercare la famosa cameriera Samantha Bizzarri che ha parlato in diretta dal vivo con il Figlio dei fiori... Ora che ci penso, che ci stiamo a fare ancora qua? Via, tutti in strada!

Matteo restò solo nella sala operativa. Indossò nuovamente

le cuffie e spense tutte le luci, tranne quelle che illuminavano direttamente le fotografie, delle vittime. Lui le conosceva tutte. Le aveva studiate, seguite, adescate, sedotte, giustiziate. Tutte, ma... un momento... c'era qualcosa di stonato... ma certo, Svetlana. Secondo Roberto, era a Rimini da una sola settimana... come aveva fatto il Figlio dei fiori a sceglierla in cosí poco tempo? Sí, certo, poteva averla notata prima, da qualche altra parte... si doveva chiedere alla donna se era già stata in precedenza a Rimini. O se era in Italia da piú tempo. Ma anche il delitto era stonato... Svetlana era stata assalita da un esaltato. Matteo aveva puntato tutto su un errore dell'assassino. Ed era certamente stata la rivelazione in conferenza stampa a scatenarlo, ma... ma lui pensava a un diverso tipo di errore. Il killer era un freddo, colpiva sicuramente da vent'anni, aveva imparato a dominarsi, aveva affinato la sua tecnica, infine non si era fermato quasi un'intera notte a godersi l'agonia di Francesca Maltese? Ed eccolo agire, ora, come un forsennato... un assalto disorganizzato... Tornò a fissare le fotografie, mentre quella musica gli trapanava la mente... *Silence... silenzio...* Si trattava di un segno preciso? Voleva forse far sapere che il silenzio della sua esistenza era destinato a rompersi nell'urlo lacerante delle vittime? O era solo un caso? A un certo punto della sua storia l'uomo aveva sentito questa musica, e la musica si era legata a qualcosa di decisivo, di unico per lui... un delitto... il suo primo delitto... nel 1972... l'anno dei Flying Objects... l'anno del silenzio. E che cosa significavano quelle parole? *La legge dei padri...* quale legge? E quali padri?

– Commissario, commissario Colonna! – La ruvida scossa di Ippoliti lo destò dalle sue meditazioni. – Il capo la vuole. Hanno trovato la cameriera!

All'ingresso di Matteo nell'ufficio di Prosperi, Samantha Bizzarri fece scoppiare l'ennesimo palloncino della gomma che masticava con ammirevole tenacia. Prosperi sembrava sul punto di saltarle addosso e sbatterla dentro per il reato di attentato all'estetica femminile.

– Sí, me lo ricordo, era vestito di bianco, mi pare, con un

fiore all'occhiello... sembrava quel poeta inglese, quello un po'
culattone...

– Oscar Wilde, – suggerí Matteo.

– Bravo, sí, quello, ci hanno pure fatto un film, mi pare...

La camerierina (ma scriva pure aspirante modella, eh!) aveva vent'anni, una gonna cortissima sulle gambette non proprio
perfettamente parallele, capelli verdi e un piercing labiale che
non avrebbe sfigurato in una galleria di Brera.

– È un cliente abituale?

– E che ne so? Mica sono una cameriera abituale, io!

– Come si comportava?

– Normale, gentile...

– Avete parlato di qualcosa?

– Solo due stronzate, cosí. Ho fatto la simpatica... per la
mancia, no?

Samantha prese la cicca tra l'indice e il pollice e si guardò
intorno, incerta su dove gettarla. Matteo le porse un posacenere zeppo di cenere e di mozziconi di sigaro. La ragazza arricciò
il nasino e si rimise la gomma in bocca. Prosperi strinse i pugni.

– E queste... due stronzate che vi siete detti, sarebbe tanto
gentile da volercele ripetere?

– E chi se le ricorda?

– Se facesse un piccolo sforzo le saremmo davvero grati, –
s'inserí Matteo, anticipando un Prosperi sull'orlo dell'esplosio-
ne atomica.

Samantha gli dedicò un sorriso, rivelando un ulteriore piercing a fondo gola, e poi s'illuminò tutta:

– Aspetta un po', ora che ci penso... Sí, ecco, io gli ho detto che abito dalle parti della stazione... cosí, tanto per dire...
e lui mi ha detto: «Allora non siamo lontani...»

Prosperi raggiunse con un balzo la porta dell'ufficio e la spalancò, affacciandosi sul corridoio.

– Fernandez! Ippoliti! Rubino! Subito qui!

Samantha si guardava intorno, spaventatissima. Matteo le
andò vicino e le cinse le spalle.

– Forse grazie a lei prenderemo il Figlio dei fiori!

– Mi raccomando, eh, scrivetelo sui giornali, cosí magari ci rimedio un'uscita in Tv!

L'ordine di servizio diramato da Prosperi imponeva di *identificare il luogo di presumibile dimora del presunto sospetto*. A voce, il vicequestore era stato piú essenziale: – Scovate il covo di quel fottuto mostro!

Il territorio era stato diviso in otto zone che partivano, come epicentro, dal parco Olga Biondi e si allargavano, concentriche, sino a lambire un arco di circa tre chilometri dalla stazione ferroviaria. A ogni zona erano state assegnate due squadre, ciascuna composta da quattro uomini, tutti rigorosamente in borghese. Ai sessantaquattro agenti, uomini e donne integrati da personale proveniente da Forlí e da Ravenna, era stato fornito un nuovo identikit, assemblato sulla base delle dichiarazioni di Svetlana e Samantha Bizzarri.

Vietata ogni iniziativa personale. Occorreva identificare, poi appostarsi, sorvegliare, infine procedere alla cattura senza seminare il panico nella popolazione e, soprattutto, evitando il coinvolgimento di persone estranee.

– Dio non voglia che ci scappi la vittima innocente, – era la raccomandazione che tutti i poliziotti si passavano di bocca in bocca.

Contro il parere di Prosperi («ti voglio qua con me, santiddio!»), Matteo aveva a tutti i costi voluto unirsi ai cacciatori di strada. Gli era toccato in sorte un anonimo viale di vecchi palazzi di edilizia popolare: finestre senza balcone, mura che avevano urgente bisogno di una tinteggiatura fresca, odore di minestrone e il tremore dei vicini treni sferraglianti. Il lato oscuro della Riviera, avrebbe detto la dottoressa De Angelis.

Il pensiero di Anna lo rincuorò dell'ennesimo *mai visto, mai conosciuto* da parte dell'ennesimo ignaro cittadino al quale aveva sottoposto l'identikit: questa volta un vecchietto che, malfermo sulle secche gambe, ammazzava il tempo nutrendo un plotone di ingordi piccioni. Prima c'erano stati i fidanzati diffidenti, l'autista di autobus dall'accento siciliano che aveva schioccato il suo *nzu* a labbra serrate, la massaia con la sporta della spesa, l'adolescente che aveva bigiato la scuola e si teneva per mano con un meccanico senegalese. Nessuno sembrava mai aver fatto caso al Figlio dei fiori.

Prima o poi questa storia sarebbe finita. Il killer sarebbe stato preso. E allora lui e Anna avrebbero dovuto tornare su quel sorriso malizioso a casa di Roberto e sulla loro passeggiata sino all'albergo Faro d'Oriente. Gli sarebbe piaciuto presentarla a... Davide Zanetti. Chissà che impressione gli avrebbe fatto. Curioso, un pensiero del genere. Conosceva appena Anna. Conosceva appena anche suo... Zanetti. Ma è cosí che vanno le cose? I figli presentano ai padri le ragazze interessanti, o no? Che ne sapeva lui di queste cose? E se invece, preso l'assassino, fosse tornato in fretta e furia a Milano?

Sovrappensiero, entrò in un palazzotto meno sgangherato degli altri. Il portiere lo affrontò sospettoso sulla soglia della guardiola. Matteo esibí il tesserino e gli consegnò l'identikit. L'uomo increspò la fronte. Matteo fu percorso da un brivido. L'uomo picchiò col dito sull'identikit.

– Guardi, non vorrei mettere nei guai nessuno, ma...

– Ma?

– Che le devo dire... sembra sputato il professor D'Ottavi, quello del terzo piano.

– Ne è sicuro?

– È uguale al disegno... solo che adesso ha un cerotto in fronte perché s'è fatto male, poveretto. È caduto in casa, dice...

Il brivido si fece eccitazione. Svetlana l'aveva colpito sulla fronte. Dopo l'identikit, si poteva ancora parlare di coincidenza? Sforzandosi di dominarsi, tornò a interrogare il portiere.

– In questo momento è su?

– Non l'ho visto rientrare. Vuole che provi a citofonare?

– Sí, ma se risponde gli dica che è passata la lettura dell'acqua e non l'ha trovato in casa.

– Come crede, commissario.

Il portiere suonò all'interno 3A. Non rispose nessuno.

– È come le dicevo io. Non c'è.

Matteo chiamò Prosperi, che coordinava l'azione dalla sala operativa.

– L'ho trovato. Via Bartolomeo Colleoni 15, interno 3A, al terzo piano.

– Tu aspettaci là. Ci siamo in dieci minuti...

– Lui non c'è. Io entro, – disse secco Matteo, e per evitare problemi, spense l'apparecchio.

Bene. La decisione era presa. Un'altra violazione di regole che si aggiungeva ai suoi già nutriti precedenti. Pazienza. In caso di errore avrebbe pagato di persona, come era abituato a fare. Ma poteva non sbagliarsi: e in questo caso ogni secondo poteva rivelarsi prezioso. Prosperi lo avrebbe ringraziato, alla fine.

– Mi accompagni su, – ordinò al portiere.

– Ma senza un mandato... come... come si fa... è regolare?

Non c'era piú un onesto cittadino che non si sentisse in dovere di sfoderare, all'occorrenza, il gergo legale appreso dalla fiction televisiva. E l'occorrenza era sempre una: mettere i bastoni tra le ruote alla polizia. Matteo sfoderò la grinta gelida dei momenti critici. Il portiere si fece piccolo piccolo e lo scortò in un vasto cortile ornato di alte magnolie e aiuole ben tenute. Ci sarebbe stato tempo per spiegargli, in seguito, che in base all'articolo 41 del Testo Unico della Sicurezza Pubblica «gli ufficiali e gli agenti della polizia giudiziaria che abbiano notizia, anche se per indizio, dell'esistenza, in qualsiasi locale pubblico, o privato, o in qualsiasi abitazione, di armi, munizioni o materie esplodenti, non denunziate o non consegnate o comunque abusivamente detenute, procedano immediatamente a perquisizione e sequestro».

C'erano tre caseggiati interni al cortile. Il portiere si diresse alla palazzina contrassegnata dalla lettera A. Presero l'ascensore.

Il terzo piano constava di un ballatoio con due appartamenti. Il portiere gli indicò quello di destra.

– Le chiavi, – ordinò Matteo.

– Non le ho mai avute! – trionfò l'uomo.

Matteo si accostò alla porta, la osservò con attenzione, lasciò scorrere una mano lungo i cardini. Non era blindata. Si poteva fare.

– Torni di sotto. Quando arrivano i miei colleghi gli indichi la strada. E se nel frattempo spunta il professore, non gli dica nulla e si attacchi al citofono. Sono stato chiaro?

– Ma come farà a entrare? Non vorrà mica...

– Ha sentito cosa le ho detto?

Il portiere fece dietrofront, sacramentando a bassa voce. Rimasto solo, Matteo fece scattare la serratura con la carta di credito. Slacciò la fondina della pistola, che Prosperi lo aveva obbligato a indossare sotto l'ascella, inserí un colpo in canna, liberò la sicura ed entrò.

Ho sempre trovato irresistibile l'umorismo ebraico. C'è in particolare una storiella che mi affascina: anche e soprattutto per le utili informazioni che se ne possono trarre. La storia è questa. C'è un padre che vuole insegnare il coraggio a suo figlio. Allora lo mette sul primo gradino di una scala e gli dice: buttati, ché ti prendo io. Il bambino, dopo qualche esitazione comprensibile, si butta. E il papà lo prende. Hai visto, piccolo? Bisogna fidarsi! Cosí il piccolo ci prova dal secondo, e poi dal terzo, e poi dal quarto gradino. Il salto è sempre piú difficile e pericoloso, ma il padre è sempre lí ad accoglierlo, calmo e sorridente. Viene il momento del quinto gradino. Il padre esorta il figlio a saltare. Papà, ma tu mi prendi? Ma certo, figlio, non ti ho già preso le altre quattro volte? Il bambino, finalmente, salta. E a questo punto il padre fa un passo indietro e il bambino cade lungo disteso per terra. Mentre si rialza, pesto e sanguinante, chiede al padre: perché mi hai fatto questo? E il padre: mai fidarsi di un ebreo, anche se è tuo padre!

Personalmente, non ce l'ho affatto con gli ebrei. Il nome che mi fu imposto può addirittura far pensare a una lontana origine ebraica. E devo dire che quando mi chiudevano in cantina, legato al buio, non mi dicevano «lo facciamo perché sei ebreo». Non mi dicevano niente, per la verità. Si limitavano a lasciarmi intuire che per loro ero un peso. E che dovevo imparare il coraggio.

Avevano ragione, come ha ragione la storiella. La parola ebreo, *qui, non ha nessun senso. Significa unicamente che gli ebrei sono stati piú rapidi degli altri a inquadrare il vero problema. Il vero problema, come sempre, è il padre. Il racconto, perciò, serve a giustificare il tradimento benefico del padre. Cosí è stato e cosí sempre sarà. Soltanto posto di fronte al tradimento del padre il figlio potrà crescere, come ho già detto, ed essere pronto ad affrontare la vita. Per questo... anche per questo ho tradito mio figlio.* Rectius: *i miei figli. Chiamatela pure una prova. Quella alla quale ho accettato che* G. *si sottoponesse, quando non avevo ancora ben chiaro in mente quale sarebbe stato lo sviluppo logico e conseguente della mia condotta.*

Il fatto è che arriva sempre, nella vita, il momento della scelta. Per quanto si possa recalcitrare, ci si possa sforzare di sottrarsi, quel momento arriva sempre. E quasi sempre (l'eccezione riguarda gli sterili e gli impotenti) la scelta è tra i figli. Perderne uno, salvare l'altro.

Cosí è stato anche per me, da quando ho preso coscienza della nuova situazione. Ho cercato anch'io di rimandare, ma la scelta andava fatta. Ora posso dire, in piena coscienza, di averla fatta. Ma è stato G. *a condannarsi. È stata la sua farraginosa incompletezza a perderlo.*

Piuttosto, mi preoccupa il suo silenzio prolungato. Non è tornato a casa, non è venuto a cercarmi, non mi ha nemmeno telefonato, e spero che un barlume di quel buon senso che ho cercato invano di instillargli lo trattenga dall'idea di chiamarmi dalla sua casa. Perché non dubito che prima o poi riusciranno a individuarlo, e allora il pericolo, per me, potrebbe farsi concreto, attuale, immediato.

Forse G. *si è ucciso? È un'evenienza che non posso trascurare. E che potrebbe rivelarsi persino vantaggiosa.*

Ma avrà il coraggio per un gesto cosí definitivo, lui che ha vissuto un'intera esistenza nel segno dell'incompleto?

I giornali sono pieni dell'eco della sua sciagurata impresa: e si badi bene che nella definizione di sciagurata intendo esprimere un giudizio netto sull'intento e sulle modalità esecutive, mentre nemmeno per un istante posso prendere in considerazione la figura del-

la vittima. Non certo per un rigurgito di pietà (orribile parola che andrebbe bandita dal consesso civile), ma unicamente in ragione della mia insufficiente o addirittura nulla conoscenza del quadro d'insieme. Chi è questa Svetlana? Che ha fatto per meritare il giusto castigo? Dettagli trascurabili, per uno come G. avvezzo a vivere di luce riflessa. Ma per me, per la mia missione, sarebbe stato il punto di partenza e quello d'arrivo.

A ogni buon conto, ora che gli eventi hanno scelto per me, ho oliato con cura la Makarov che una benedetta intuizione mi spinse a prelevare, un giorno di un'ormai lontana estate, dall'ignaro albanese sprofondato dai suoi rivali nel sonno eterno. Sentivo forse già sin da quel momento che mi sarebbe stata utile? Può essere. Il caricatore è pronto. La pallottola in canna. Ci sono momenti in cui ogni movimento può essere rischioso.

Non mi resta altro da fare che attendere.

La prima cosa che lo colpí fu l'odore. Qualcosa che era rimasto seppellito nel profondo della sua memoria si ridestò all'improvviso. Cera. Cera ancora ardente e cera bruciata. Come alla funzione del pomeriggio, la compieta del rosario alla quale le monache obbligavano ad assistere quella riottosa masnada di orfanelli che, in cuor loro, le seppellivano di maledizioni e doppi sensi a sfondo sessuale. Un odore da sempre associato al ronzio mesto della lenta litania di voci che si sovrapponeva alla stanchezza della sera, al dolore della solitudine ingigantito dal morire del giorno. Nell'appartamento non c'era nessun ronzio. Ma solitudine sí: la si percepiva come un lamento silenzioso attraverso tutto il lungo corridoio fiancheggiato da una guida di candele, alcune già spente, altre agonizzanti, altre con lo stoppino intatto. C'era abbastanza luce da vederci. Un lucore malato, e quell'odore... cera, come nel volto disfatto di Francesca Maltese.

Matteo si guardò alle spalle. L'ingresso restava accostato, come lui l'aveva lasciato. Tutto sembrava immerso nell'immobilità. Aprí la porticina che chiudeva il corridoio.

E le fotografie che tappezzavano le pareti lo assalirono con la forza di un coro maledetto.

Benvenuto all'Inferno, commissario Colonna! Guardaci, ragazzo, guarda me: io ero Linda Gualfucci. Sono questa cosa che ha un palmo di lingua di traverso tra i denti e questi bei segni azzurri intorno al collo. E io ero Doriana… questi grumi rossi e bianchi che vedi sono ciò che resta del mio cervello. Ehi, ci sono anch'io… Morena, scusami se non mi sono alzata per venirti incontro, ma come vedi, i miei piedi non esistono piú, qualcuno li ha bruciati… ciao, commissario, noi due ci siamo già visti, non ti ricordi di me? Francesca, Francesca Maltese, quella del Kursaal… se non fosse stato per causa mia, tu non saresti qui, ora. Dimmi, non trovi nauseabondo quest'odore di cera? A me faceva proprio questo effetto, quando lui me la ficcava nelle narici.

Matteo chiuse gli occhi, e l'allucinazione auditiva svaní di colpo.

Il Figlio dei fiori non era il primo assassino seriale della sua vita, e non sarebbe stato certo l'ultimo. I suoi superiori l'avevano dirottato sul caso Maltese in virtú della sua esperienza, e perché godeva fama di essere un freddo. Ma guai a sottovalutare i confini dell'inconscio. Un fenomeno simile non gli era mai capitato. Perché proprio adesso? Perché proprio a Rimini? Il sovrannaturale non c'entrava niente. La spiegazione era un'altra. In una frazione di secondo aveva colto qualcosa, il suo cervello aveva registrato un impulso e l'aveva confinato in un'area periferica della memoria. Ora quell'informazione secretata era entrata in risonanza con lo scenario. Si trattava, pragmaticamente, di farla riemergere. Non era accaduto qualcosa di simile quando aveva incontrato il padre della Maltese? Mai sottovalutare i messaggi solo perché non si sa interpretarli a prima vista.

Forse era il caso di sottoporsi a una seduta di *rêve éveillé dirigé*, l'ipnosi guidata. In America aveva dato buoni risultati: sotto la guida del terapeuta, testimoni avevano ricordato, ad anni di distanza, targhe di autovetture intraviste di sfuggita, o luoghi nei quali erano transitati per un breve intervallo in età prescolare, o addirittura brani di conversazioni captate casualmente all'angolo di una strada.

In ogni caso, a piú tardi. Ora bisognava andare avanti.

Riaprí gli occhi. Una volta svanite le voci, dalle immagini spirava soltanto e unicamente l'allucinato dolore di quelle donne ridotte a cosa. Tutte, tranne una: Svetlana. C'erano anche sue foto, ma erano foto di una donna viva. Svetlana sulla spiaggia, Svetlana nel pub, Svetlana che si scosta una ciocca di capelli con l'aria di imitare qualche diva del piccolo schermo.

Perquisí rapidamente l'appartamento. Trovò ritagli di giornali, tutti relativi ai delitti, e le ultime edizioni con i titoloni sul Figlio dei fiori.

C'era anche un soggiorno, con le finestre chiuse da pesanti tende verdi.

Un tavolo di legno con un candelabro a tre bracci, un televisore, una sedia, una Bibbia squadernata su un vetusto leggio. Matteo si chinò e lesse: «Sei giunto tu fino alle sorgenti del mare, o hai passeggiato nelle profondità dell'abisso? Forse ti furono aperte le porte della morte, e hai veduto le porte dell'ombra? Conosci tu l'ampiezza della terra? Parla, se conosci tutto questo!» Qualcuno aveva aggiunto a margine, a penna, la parola *padre*?, seguita da un punto interrogativo.

Era un versetto scelto a caso dal *Libro di Giobbe* o aveva un senso? Giobbe non fu forse messo a dura prova dal Padre? Che cosa voleva dire il professore quando, per minacciare Svetlana, aveva parlato di *legge dei padri*?

Spalancò un armadio, servendosi di un fazzoletto per non lasciare impronte. C'erano un fucile da caccia, una pistola, uno scatolone pieno di riviste pornografiche, indumenti intimi femminili, parrucche...

L'arsenale del perfetto assassino seriale era rappresentato al completo, ma... che cosa mancava? O, forse, di che cosa c'era eccessiva abbondanza?

Denke, il cannibale della Slesia, conservava parti di cadaveri rigorosamente essiccate. Nielsen dormiva per giorni accanto alle sue vittime ritraendone le fattezze in disegni pieni d'amore e di delicata dedizione. Molti serial killer conservavano macabri cimeli delle loro imprese. Il professore, a meno che una perquisizione piú accurata non rivelasse altri particolari, solo immagini. Perché?

Matteo si prese la testa tra le mani. Perché il quadro non gli tornava? Sembrava tutto cosí chiaro, evidente: il professore era il Figlio dei fiori, studiava le sue vittime, le adescava, le fotografava durante e dopo il massacro e poi conservava, come ricordo, le immagini. Ma solo le immagini? Un'immagine non è che un'ombra, dopo tutto. Un piccolo stimolo alla memoria. Conservare un cranio o una gamba o una mummia significa rivivere, anche fisicamente. L'immagine significa distacco, un velo che si frappone fra te e la vittima: fra te e la cosa che la vittima è diventata dopo averti incontrato. Dopo che tu l'hai scelta. Le riviste pornografiche: il professore ama guardare. Chi guarda raramente agisce. A meno di non assistere... guardando... chi agisce... No, c'era qualcosa di distorto in tutto questo... era nello sguardo che riposava l'informazione occulta che aveva fatto scintillare la risonanza?

Il tonfo improvviso lo colse nel pieno della riflessione, a guardia completamente bassa. La prima cosa che notò, volgendo il capo in direzione della porta del soggiorno, fu la borsa da spesa che cadeva, con infinita lentezza, al suolo. Poi vide l'uomo: scuro, sovrappeso, il volto imbambolato da poppante malcresciuto, il cerotto sulla fronte, la sua pistola, un piccolo revolver che tremava nella stretta spasmodica di una mano incerta. Il professore. Perfettamente sovrapponibile all'identikit. Pensò, in una frazione di secondo, che il portiere non l'aveva avvisato, o che forse non aveva sentito lui il cicalino del citofono; che il professore era stato piú svelto di Prosperi e rischiava di essere anche piú svelto di lui. Si gettò per terra d'istinto, sollevando la sua Beretta. Spararono quasi contemporaneamente e i colpi scheggiarono legni e sollevarono sbuffi di gesso dalle pareti. Il professore scomparve dietro la porta. Matteo si rialzò, e una fitta lancinante gli paralizzò per un attimo il braccio sinistro. Era stato preso, ma di striscio. Si lanciò all'inseguimento.

L'uomo aveva chiuso la porta d'ingresso a chiave. Matteo la sfondò con un paio di calci ben assestati. Il professore era già nella tromba delle scale, aveva due piani di vantaggio. Androne, signora con carrello della spesa, il professore la scansa per miracolo, brandendo la pistola attraversa il cortile, poi l'atrio del portone e infine è in strada. Fu una corsa silenziosa: benché appesantito e stravolto, il fuggitivo sembrava in grado di mantenere il vantaggio, voltandosi di tanto in tanto per esplodere un colpo di pistola. Ma sparava a casaccio, in alto, per farsi largo tra i passanti che impallidivano e si gettavano per terra. Matteo non sentiva piú dolore alla spalla, e lentamente stava guadagnando terreno.

Sbucarono nella ferrovia. Il professore si lanciò sulla massicciata, superando uno, due, tre binari. Matteo accelerò al massimo. Un treno merci lanciò un fischio allarmato. Due binari, un binario di vantaggio; se fosse riuscito a inquadrarlo avrebbe potuto mirare alle gambe. Un altro fischio, questo imperioso. Un treno velocissimo, forse un Intercity appena ripartito dal binario centrale. Il professore si guardò intorno. Con una mossa improvvisa, si lanciò davanti alla locomotiva. Il macchinista non si era accorto di niente. Matteo fu costretto a bloccarsi. Impossibile andare oltre: dovette attendere che il lungo convoglio transitasse, i capelli scompigliati dallo spostamento d'aria. L'ultimo vagone sfilò via. Il professore non c'era piú. Svanito tra la vegetazione e le casette dei ferrovieri. Matteo rimise la Beretta nella fondina e tornò verso la casa di via Colleoni.

Prosperi, con Roberto, Ippoliti e la Rubino, stavano strapazzando il portiere.

A Prosperi bastò un'occhiata per valutare la situazione.

– L'hai perso, eh? – disse, piano. Matteo annuí, evitando di guardarlo in faccia. Prosperi sembrò pensarci su un istante, poi partí alla carica. Il pugno, non eccessivamente violento, ma abbastanza deciso da atterrarlo, lo colpí alla mascella. Roberto e Ippoliti si precipitarono a trattenerlo, ma il vicequestore aveva già ripreso il controllo e si stava accendendo un mezzo sigaro. Matteo si risollevò massaggiandosi la zona colpita.

– Sai qual è il tuo problema, Colonna? È che devi sempre dimostrare qualcosa a qualcuno. A costo di mandare a puttane il lavoro di tutti!

Matteo non replicò.

– Be', – osservò Roberto, cercando di sdrammatizzare, – adesso ha un volto e un nome e non ha piú un posto dove andare, quindi...

– Ho forse chiesto il tuo consiglio, Fernandez?

Roberto ammutolí. Prosperi emise un profondo sospiro.

– Che bella cosa la solidarietà tra colleghi! E intanto quel lurido farabutto se la ride alle nostre spalle. Le nostre spalle, Colonna, non le tue, perché a sbagliare è uno, ma nella merda ci siamo tutti quanti. Rubino, tu prendi due squadre e perquisite l'appartamento. Fernandez, a te i rilievi. Il fotografo è in arrivo. Fate transennare la zona, trovatemi una foto recente di questo... come cazzo si chiama?

– D'Ottavi, – suggerí timidamente Ippoliti.

– D'Ottavi... e portatemela in ufficio. Io vado a leccare gli stivali al procuratore della Repubblica. Cos'hai sulla spalla, Colonna?

– Niente, – sussurrò Matteo. Ma cominciava a fare un male cane.

– Be', – concluse Prosperi, – fatti medicare.

Ad attenderlo al pronto soccorso dell'ospedale c'era Anna De Angelis. La dottoressa gli disinfettò la ferita («un graffio, fra tre giorni sarà completamente cicatrizzata») e gli applicò quattro punti di sutura. Grazie a un paio di miracolose pomate, il dolore era scomparso. Anna era gentile, e come sempre il suo profumo fruttato contrastava in maniera sorprendente con l'odore di disinfettante e di sudore che ristagnava nel locale. Gli disse che aveva chiesto lei di sostituire il medico di turno, dopo aver saputo da Roberto della sua *ferita*.

Matteo le disse che stava pensando a lei proprio immediatamente prima di scovare D'Ottavi. La dottoressa rise di un bel riso profondo, di gola, e lo fissò diritto negli occhi. Matteo sfuggí il suo sguardo, si rivestí in silenzio e se ne andò senza quasi salutarla, lasciandola perplessa e forse un po' delusa. Ma non era nello stato d'animo adatto.

Aveva voglia di rivedere Davide Zanetti. Se doveva abituarsi a chiamarlo *papà*, tanto valeva cominciare da un momento di bisogno. Nel vederlo comparire con i vestiti stazzonati e l'espressione tempestosa, Zanetti si affrettò a calare la saracinesca della Casa dei Giochi e lo condusse nel retrobottega.

Matteo si ritrovò in una specie di appartamento-laboratorio, con un grande tavolo da falegname pieno di ritagli di stoffa, pezzi di legno, teste di burattini, bastoncini, bambole dallo sguardo ora furbo ora languido di promesse, bellissimi costumi da damine e cavalieri del Settecento, barattoli di colla, martelli. E scaffali: ingombri di ogni sorta di pupazzi, marionette e animali di ogni forma e colore.

Mentre Davide finiva di dare le ultime pennellate di rosso a un burattino, Matteo si aggirava con lo sguardo stupefatto di un bambino pieno di meraviglia in quell'orgia di vivacità, dominata da un forte, naturale, benefico odore di colla e di legno. Sí, per un istante era tornato bambino, ma questa volta senza tutto il carico di dolore che il primo incontro con Zanetti aveva evocato. Quel laboratorio nel quale suo... Davide doveva aggirarsi con l'aria circospetta e un po' pedante del vecchio artigiano geloso della propria abilità gli comunicava un senso di pace interiore che lasciava svanire l'impressione di quell'altro scenario, quello dominato dalla perversa personalità di D'Ottavi. Poi vide il modesto letto rifatto, il minuscolo angolo cottura, il comodino con la piccola Tv, e provò una stretta al cuore pensando alla lunga solitudine del padre.

Davide preparò un caffè americano e lo serví in due tazze istoriate di gaie illustrazioni tratte da *Alice nel paese delle meraviglie*.

– Alla tua, Cappellaio Matto!

– Alla tua, Gatto del Cheshire, – ribatté Matteo. – Ma prima di scomparire in una nube di fumo, ascolta la mia storia...

Davide Zanetti ascoltò in silenzio, a capo chino. Fu soltanto quando Matteo gli disse che Prosperi aveva avuto mille ragioni per colpirlo che sollevò lo sguardo e strinse i pugni.

– Il desiderio di primeggiare non è un male, Matteo. Ce lo portiamo dentro tutti, e qualche volta commettiamo degli sbagli... Anche il tuo capo.

– Grazie per le magnifiche parole, ma i fatti parlano chiaro: l'avevamo preso, e l'abbiamo perso per colpa del mio assurdo desiderio di... di prendermi un'altra rivincita sulla vita, capisci? Se qualcuno ha delle colpe, qui dentro, quello sono io!

Davide gli prese una mano tra le sue e sorrise.

– Hai perso una battaglia, va bene? Ma lo prenderete...

– Grazie, – sussurrò Matteo, ma questa volta senza nessuna ironia.

– Ho fatto cosí poco per te... – sospirò Davide. – Ma adesso... adesso posso dirti che sono davvero felice che ti abbiano mandato a Rimini. Anzi, vuoi sapere una cosa? Non sono mai stato cosí felice in tutta la mia vita!

Altre cose gli disse Davide, ma Matteo, piú che starlo a sentire, osservava affascinato la mimica del suo volto, che al principio gli era apparso tanto insignificante. E invece c'era forza, in quegli occhi, una forza virile, trattenuta, ma una forza che s'intuiva pronta a erompere in un torrente di energia. Davide Zanetti. Suo padre. L'uomo che aveva amato Laura e che aveva cercato di indurla a disfarsi di lui. Suo padre. L'uomo che era spuntato dal nulla per riempire il grande vuoto della sua vita. E la sua voce suadente, ben impostata, e le ombre della sera che sfumavano i contorni delle cose disegnando ambigui chiaroscuri sulle sagome ridenti o imbronciate delle bambole, l'odore del legno e del caffè e del tabacco di Davide. Quell'odore che gli era cosí estraneo eppure cosí familiare.

Poi il trillo del cellulare. Era Roberto. Convocazione immediata in centrale.

– Devo andare.

Ma era duro strapparsi da quell'incanto. Si lasciarono con la promessa di rivedersi quanto prima. Prima di lasciarlo andare, Davide gli strinse a lungo la mano, faticando a vincere la commozione. Quasi volesse riappropriarsi del calore di quell'impronta che, un tempo, doveva aver seminato dentro di lui.

– *Perdonami, padre, non sono stato capace di offrirti il dono che avevo immaginato per te...*

– *Hai dimenticato che non ci è consentito parlare di perdono, G.?*

– *Ho sbagliato, lo riconosco. Ma ora aiutami, ti prego. Ho paura... farò qualunque cosa tu mi chieda...*

– *Non ti era stato richiesto nessun dono!*

– *Ho sbagliato! Ho sbagliato! Mea culpa, mea culpa...*

– *Ricordi la leggenda di Mastro Manole, G.?*

– *Ricordo ogni parola di ciò che mi hai insegnato.*

– *Mastro Manole fu incaricato di edificare il Tempio, ma la costruzione rallentava rallentava... infine, l'Arcangelo gli apparve in sogno e gli dettò le condizioni... le ricordi?*

– *Disse l'Arcangelo: «Il Tempio non potrà essere edificato finché non avverrà la Consacrazione...»*

– *«Perché niente può vivere se non è animato, se non riceve insieme un corpo e un'anima. E non c'è altra possibilità di trasferire l'anima che attraverso il sacrificio. Solo cosí la vita prosegue nell'anima...»*

– *Attraverso la morte... Sí, sí, ti porterò questo dono di morte...*

– *Cominci a comprendere, dunque?*

– *Dimmi chi devo colpire e colpirò! Te lo giuro, padre!*

– *Mastro Manole sacrificò l'adorata moglie, murandola viva nelle fondamenta del Tempio...*

– *Ancora adesso nelle notti di luna piena il viandante può udire il canto melanconico e disperato della donna...*

– *Mastro Manole sacrificò l'adorata moglie... chi sei disposto a sacrificare tu, G.?*

– *Dimmi chi devo colpire.*

– *Ascoltami allora... figlio...*

Le fotografie sequestrate a casa del professore campeggiavano sul tavolo ovale della sala operativa. L'ingrandimento di una foto formato tessera di Giovanni D'Ottavi occupava un intero pannello della parete. Prosperi, dal suo ufficio, teneva i contatti con le squadre sul territorio. Tutte le uscite della città erano bloccate. Il porto sorvegliato. La stazione ferroviaria presidiata. I telegiornali della sera avevano diramato la notizia. Roberto passeggiava nervosamente. Matteo stava inseguendo la sua risonanza. D'accordo. Tutto sembrava quadrare, ma ora che aveva riacquistato la concentrazione, l'eco della risonanza aveva ripreso a bombardarlo di impulsi dissonanti. Troppe immagini, troppo distacco.

– Mi rileggi la storia di D'Ottavi, per favore?

– Ancora? Ma sarà la decima volta!

– Dai, Roberto...

– E va bene: allora, vediamo... Ah, ecco... Giovanni D'Ottavi, trentaquattro anni. Ne ha sei quando sua madre viene barbaramente assassinata nel locale dove lavorava, una colonia. Del delitto viene accusato il giovane amante della donna, un certo Alessandro Bertocchi. Due giorni dopo il cadavere di Bertocchi viene ritrovato, completamente carbonizzato, all'interno della sua autovettura. Causa: un incidente dovuto all'eccessiva velocità. Forse il bambino ha assistito alla morte della madre? Da quel momento, comunque, il piccolo Giovanni va fuori di testa. Il padre non si sa chi sia, e allora viene affidato a uno zio materno. Ma lui gli brucia le tende e gli scortica vivo il gatto. Lo zio allora lo dirotta in un istituto... Be', prova a dargli torto... Da adolescente si diverte a passeggiare sui cornicioni a occhi chiusi. Esperienze con droghe di vario genere. Si schianta due volte contro un muro con il motorino. È ricoverato per sei mesi in una clinica psichiatrica. La diagnosi di dimissione è: «Disturbo di personalità di tipo narcisistico con discontrollo degli impulsi aggressivi». Accetta di sottoporsi a terapia farmacologica. Si laurea in lingue. Trova un lavoro come interprete...

Tutto comincia da un'immagine. La prima immagine. La madre uccisa. Un uomo che uccide la madre. L'immagine. L'immagine fissata per sempre, l'ossessione di quell'immagine. Le immagini. L'ossessione delle immagini. Di tutte le immagini. È tutto in quella prima scena. Il bastoncino d'incenso, *Silence*, tutto... la consapevolezza. L'esperienza della solitudine. La mamma non c'è piú. È andata. Quel lago di sangue è il suo sangue. Ha visto, deve replicare. No, troppo semplice. Ha visto, deve continuare a vedere. La risonanza è l'immagine. Ma è solo un piccolo passo verso la meta. Manca l'informazione segreta. Ma avanti, ancora uno sforzo... l'immagine, la solitudine, la risonanza... l'immagine, la solitudine... la solitudine... l'immagine... le ha fotografate tutte mentre le torturava, e dopo, quand'erano morte... No, non tutte. Tutte meno Svetlana!

Fermati su questo, Matteo, fermati! Svetlana è l'unica della quale conserva le immagini da viva. Perché è la sola che non è riuscita a uccidere? Troppo semplice! Perché, allora, non conservare le immagini anche delle altre, da vive? Le ha distrutte? Non gli servivano piú? Ma andiamo! Ha lavorato tanto per massacrarle... se avesse voluto occultare le prove avrebbe distrutto tutte le foto, non solo alcune. Ha operato una scelta? O non ha avuto scelta? Se non avesse avuto le foto da vive... se non avesse potuto averle. Ho Svetlana perché ho studiato Svetlana, ritratto Svetlana, cercato di uccidere Svetlana... non ho Doriana, non ho Linda, non ho Morena, non ho Francesca perché non le ho studiate, perché non le ho ritratte, perché non le ho uccise... perché non le ho uccise... Non ho il passaggio dalla vita alla morte. Non le ho mai avute vive. Ho soltanto, unicamente, la loro morte. L'ho avuta, non l'ho data. Allora, che cosa sono quelle fotografie? Ma è chiaro: sono un dono! Hanno ucciso mia madre. Sono solo. Qualcuno mi prende per mano e mi consola con la sua calda stretta. Mi affido completamente a lui. Lui è tutto per me. Per la mia solitudine. Mi ricolma di doni. Poi succede qualcosa. Lui mi abbandona, o minaccia di abbandonarmi. Sta per tornare la solitudine. È tremenda, la solitudine. Io non posso accettare la solitudine. Lui mi ha coperto di

doni, e ora mi abbandona. Possibile che sia stato cosí vergogno-
samente ingannato? Diceva che erano doni, e invece non erano che le ossa spolpate che si gettano ai cani. Lui è come un dio
che elargisca un'emanazione di sé a una creatura inferiore. Ma
lui è il dio della morte. Lui corrompe la carne, lui uccide, e mi
lascia godere le pallide repliche delle sue azioni. Il primo impulso è la fuga. Poi subentra il risentimento. Forse anche il desiderio di vendicarsi. Ma un dio è immune alle vendette. Un dio
non si può colpire. Devo riconquistarlo. Devo far sí che ritorni a me. Come? Nell'unico modo che conosco, quello che lui mi
ha insegnato. Con un dono.

Lo sento. Da dove mi viene questa sintonia?

Che dono? Un dono di morte, di quelli che lui ama. Svetlana. Ma perché? Perché proprio lei? Non lo so, sono un appren-
dista. Sto imparando. Sono appena agli inizi. La mia azione è
caotica, compulsiva, disorganizzata. Sto imitando un modello.
Il mio dono è la mia prima vittima. È questo che conta. Per me.
Ma per lui? Perché ha scelto le altre? E che importa, una pelle
vale l'altra... Svetlana, il mio dono. Ma, un momento, chi fa
doni? Chi ama, stima, rispetta, chi vuole corrompere, chi si
aspetta qualcosa in cambio. Chi riceve doni? Un ospite, una
persona importante, un capo, un maestro... Chi è il primo maestro e il primo dio di un bambino? Il padre... è la legge dei padri che lo vuole... Il padre...

– Matteo? Oh, Matteo, ma che ti prende?
Roberto lo stava fissando con espressione preoccupata.
– Pensavo.
– Mi hai messo paura, diavolo! Fai sempre cosí quando pensi?
– Roberto, si sa niente del padre di D'Ottavi?
– Ma è tutto scritto nel dossier, l'hai letto, no? Forse era
quel Bertocchi, ed è morto bruciato. Forse un altro sconosciu-
to, chissà. Ma perché t'interessa tanto?
– Vedi, lui... è tutto in quella prima scena. L'immagine del-
la madre morta si è fissata per sempre nella sua memoria, e da
allora...

– Ha deciso di uccidere le donne!

– No. Da allora lui... non ho le idee ancora ben chiare, ma... da allora si è sentito solo. Disperatamente solo.

Roberto si strinse nelle spalle. In quel momento Prosperi irruppe come una furia.

– L'hanno trovato. Venite, e stavolta niente cazzate!

5

Non è stato un caso che l'abbia convocato in questo centro commerciale che, per quanto cosí differente dal santuario di Argo che Mastro Manole consacrò a prezzo della felicità coniugale, è anch'esso un Tempio. Non è forse qui che si celebra il rito dell'Usura? Non è forse tra questi scaffali ingombri di futili beni di consumo che l'uomo stesso si snatura in merce? Non è all'interno di queste pareti rassicuranti che tra ninnoli e calzini, parure da bagno e videocassette, dentifrici e cibi manipolati per cani mutanti si uccidono ritualmente l'Onore e la Tradizione, e il Giusto Ritmo è respinto, come fosse un barbone maleodorante, all'ingresso di servizio?

Ho intuito subito, dalla sua telefonata, che G. ha troppa paura per farlo di sua mano. Ciò che gli occorre è un piccolo incoraggiamento. Provvederà la Makarov a darglielo.

Quando verrà il momento, ormai prossimo, fisserò anch'io sgomento la sua espressione stupita, l'immenso dolore che lacererà la sua anima problematica. Si renderà conto, infine, di quali immense distanze può coprire il Tradimento del Padre? Certo non si aspettava che proprio io vestissi, ai suoi occhi, i panni dell'Angelo della Morte...

D'altronde, l'Uomo non è altro che il frutto del vuoto che ci è stato lasciato dal ritiro di Dio. Occupiamo pro tempore il cosmico spazio nero con l'unica missione di richiamare il suo vero Signore. Nel frattempo, qualcuno deve incaricarsi di vigilare affinché la degradazione non trionfi: perché, nel ritirarsi, Dio ci ha consegnato una Legge, e, con essa, un canone di comportamento. La Legge fu affidata ai Padri, che del Dio conservavano ancora la percezione: ebbero il privilegio di vederlo, loro! Fu cosí fissato il Giusto Ritmo.

*Ma da allora è trascorso un tempo infinito. Gli uomini tendo-
no a dimenticare: ciò che fu originale diviene presto imitazione, e
poi imitazione dell'imitazione, e ancora imitazione dell'imitazione dell'imitazione, e cosí via, in un inarrestabile processo di allontanamento dal modello... Oggi gli uomini hanno del tutto rimos-
so la Legge e il canone. Sono troppo impegnati a ingozzarsi di merda cosmetica e di cadaveri di bestie transgeniche nei degradanti
fastfood.*

Occorre che qualcuno riporti in vita la Legge e il Ritmo.

Con le opere. Con il sacrificio.

*Questo è il senso del dono supremo che oggi chiedo a G.: l'o-
pera deve proseguire. Il suo sangue rinnoverà la consacrazione.*

*E mentre parcheggio con cura a ragionevole distanza dall'epi-
centro di questo moderno Tempio profano che chiamano* The
Market Place *in ossequio alla lingua imposta dai banchieri e dagli
usurai dell'anima, cerco di convincermi che, nell'istante supremo,
lui comprenderà e accetterà. Se cadesse con il volto rasserenato da
un sorriso di rassegnazione, per esempio, ciò costituirebbe il degno
compenso per il suo sacrificio.*

*Ma conosco fin troppo bene G. per potermi concedere soverchie
illusioni. La sua altissima percettività, quasi una dote naturale che
trae linfa dalla sua mente disturbata, gli permetterà di inquadrare
in un solo istante la situazione. Gli basterà guardarmi per sapere
che il gioco è finito. Dovrò dunque, necessariamente, soprassedere
a ulteriori spiegazioni, e colpire con precisione chirurgica. Non ho
scelto il luogo a caso: ci sono angoli del parcheggio che ho studiato a perfezione anni addietro, quando stavo lavorando su Morena.
In caso di imponderabili sopravvenienze, oltretutto, il luogo giusti-
ficherà una presenza troppo casuale per essere in alcun modo ricon-
ducibile al fatto. E quanto al rischio che qualcuno si accorga, prima del nostro incontro, della sua presenza, le istruzioni che ho det-
tate al telefono sono state precisissime.*

*Avvito il silenziatore alla Makarov e inserisco il colpo in can-
na. Indosso guanti sottili, di morbido capretto, che si adattano a
meraviglia alla conformazione di questa robusta pistola che ha il
vantaggio di uno scarto minimo e di un rinculo quasi assente. Mi*

avvio. Ritroveranno l'arma nelle sue mani. Con il suo suicidio questo'increciosa parentesi investigativa troverà la più degna conclusione. E io sarò libero di riprendere la mia missione.

Giunto a cinquanta metri dall'area di parcheggio, della quale già percepisco i rumori e il forte tanfo dei gas di scarico, sono sorpassato da una volante della polizia, seguita da due auto in borghese che procedono di conserva. La cosa mi insospettisce, e procedo con andatura, se possibile, ancora più lenta e circospetta.

Il luogo convenuto è sul fondo dell'area di parcheggio, accanto a un paio di posti riservati ai disabili che so, per esperienza, quasi sempre deserti. Aggiro il gabbiotto dei guardiani, anch'esso costantemente deserto, ed entro nell'area. Dovrò percorrere un paio di centinaia di metri, girare dietro un magazzino, e lui sarà lì ad attendermi. C'è la solita folla della sera, Moloch non conosce la dolcezza del riposo. Percepisco immediatamente un presagio sospeso, numinoso. Accelero. Ho deciso di sparare tenendo la pistola nella tasca dell'impermeabile. Il silenziatore mi obbliga ad andare vicinissimo al bersaglio, se non voglio correre il rischio di mancarlo. Il magazzino è davanti a me. Lo aggiro. Lui non c'è. Il luogo è deserto. Pronuncio a bassa voce il suo nome. Nessuna risposta. Torno sui miei passi. Sono sul piazzale, ora. Mi guardo intorno. Ci sono due volanti, disposte strategicamente ai lati dell'ingresso principale. Dietro di loro, le due vetture-civetta che ho visto transitare poco fa, e, accanto, altre due macchine di grossa cilindrata, prive di contrassegni. Figure nere si agitano, passando da una macchina all'altra. Ci sono donne con bambini che si avviano a passettini rapidi e preoccupati verso l'interno del parcheggio. Un'anziana coppia che sta per varcare la soglia viene dissuasa da una giovane donna dai capelli rossi. Tutto è come sospeso in un vuoto irreale... ma non c'è margine di errore. I segni sono inequivocabili.

Mi volto, e con l'aria indifferente esco dall'area di parcheggio. Cerco di dominare l'ira sorda che mi sta devastando i lineamenti: nessuno dovrà poter raccontare, domani, di aver visto un individuo sospetto aggirarsi in prossimità del luogo dove il Figlio dei fiori è stato catturato. Perché non c'è dubbio che lo prenderanno. G. ha

*contravvenuto agli ordini. È entrato nel mercato? Probabile. E
qualcuno l'ha notato, ha segnalato la sua presenza alla polizia, e
adesso lo prenderanno. Ha commesso un errore, è evidente. Che cosa farà, ora? Cadrà vittima del piombo di un poliziotto? Non finché a occuparsi dell'indagine ci sarà Matteo Colonna. Lui impedirà
che gli facciano del male. Lo vuole vivo. Per studiarlo. Per capir-
lo. E questo è molto, molto seccante. Molto, molto pericoloso.*

*Nessuno mi impedisce di ritornare alla mia auto, di sedermi tran-
quillamente al volante, di accendermi una sigaretta.*

*Ora mi chiedo: perché l'ha fatto? Perché ha contravvenuto ai
miei ordini? Per sfidarmi, è chiaro. Sono stato io a commettere un
errore. Ho sottovalutato la sua sete di indipendenza. Era questo
l'errore che il commissario Colonna si augurava io commettessi?*

E ancora una volta, è il Tradimento del Figlio a indignarmi.

Prosperi si era opposto all'uso di altoparlanti, allo sgombe-
ro generalizzato dell'edificio e non aveva voluto chiedere i ti-
ratori scelti. L'operazione doveva essere rapida e indolore.

Prima di entrare nel centro commerciale, il vicequestore die-
de ordine di bloccare tutte le uscite e di impedire l'ingresso ai
nuovi clienti. Poi si avviò, seguito da Matteo, dall'ispettrice Rubino e da cinque agenti. Tutti erano in borghese. Un vigilante
baffuto li salutò militarmente.

– È al terzo piano.

– Che a nessuno venga in mente di sparare, – ordinò Prosperi. – Con tutta questa gente rischiamo una strage!

Matteo si stava dirigendo verso la grande scala che troneg-
giava al centro del mercato, ma Prosperi lo bloccò.

– Tu resta qui. Non ti voglio tra i piedi. Lo beccherai se
scende!

Matteo annuí. Ma non aveva nessuna intenzione di essere
tagliato fuori. Lasciò loro un po' di vantaggio, poi li seguí.

La Rubino, che si era appostata ai piedi della scala mobile,
al secondo piano, nel vederselo sfilare davanti non riuscí a evitare un sorriso d'incoraggiamento.

Matteo raggiunse il terzo piano e si nascose dietro un espositore. Prosperi gli dava le spalle. Gli altri agenti avvicinavano con discrezione i clienti e li scortavano verso gli ascensori.

Già tre o quattro coppie e una famigliola con bambini avevano abbandonato il terzo piano. Con un po' di fortuna, si poteva riuscire a isolare D'Ottavi.

Già. Ma dov'era D'Ottavi? Il primo a notarlo fu uno degli agenti in borghese. Fece un cenno a Prosperi e Matteo, che seguiva la scena, lo inquadrò. Si stava dirigendo alle scale mobili. Lanciava intorno a sé occhiate furtive. Matteo sentí che si era accorto di qualcosa, e si tenne pronto all'intervento. Intanto, un interrogativo gli aveva attraversato la mente: perché mai D'Ottavi aveva scelto un posto cosí affollato? Perché si era reso cosí... visibile?

– Attento!

Il grido dell'agente fece voltare Prosperi. D'Ottavi aveva estratto fulmineamente la pistola e la puntava contro il vicequestore. Prosperi si buttò per terra. Una signora di mezz'età lanciò un urlo.

– Scappa! Prendetelo! – urlò Prosperi, rialzandosi con l'arma in pugno.

Matteo vide la Rubino precipitarsi sulla scala mobile. D'Ottavi esplose due altri colpi a casaccio e si avventò verso gli ascensori. Un agente gli sbarrò la strada. D'Ottavi si catapultò contro un espositore di biancheria e glielo rovesciò addosso. L'agente cadde, travolto da una massa di reggiseni e di calze autoreggenti. Prosperi stava per prenderlo alle spalle. Il professore s'incuneò tra due banconi, scavalcò delle casse di merci scontate e si lanciò verso l'estremità opposta del piano.

– C'è un'uscita di sicurezza! – gridò qualcuno.

Matteo si guardò rapidamente intorno, vide quello che cercava e infilò l'altra uscita di sicurezza, alla sua sinistra, quasi divellendo il maniglione antipanico che la serrava. Sbucò su un pianerottolo, separato da uno stretto cornicione dall'omologo che dava sulla scala esterna di metallo. Matteo si arrampicò agilmente, percorse in due passi il cornicione e atterrò sull'altro pianerottolo. Anche qui c'era una porta chiusa da un maniglione. Qualcuno, dall'altra parte, stava cercando di forzarla. Matteo impugnò la pistola e si mise in posizione di tiro, le due mani strette intorno all'arma, ginocchia flesse, braccia tese.

La porta cedette. D'Ottavi lo fissò con gli occhi allucinati.

– Fine della corsa! – esclamò, sarcastico, Matteo.

PROCURA DELLA REPUBBLICA DI RIMINI

Verbale di interrogatorio di persona arrestata [art. 388 CPP].

Addí 23 febbraio 2..., alle ore 21.35, nei locali del Commissariato Centrale di Rimini – Sezione Polizia Giudiziaria – il Procuratore della Repubblica di Rimini, dottor Cosimo Restuccia, ha proceduto all'interrogatorio di D'OTTAVI GIOVANNI, nato a Massa Fiscaglia l'11 agosto 196..., indiziato dei reati di omicidio in danno di GUALFUCCI LINDA, GERMONDARI DORIANA, DALL'ANGELO MORENA, MALTESE FRANCESCA e del tentato omicidio in danno di LICIUK SVETLANA. Si dà atto che si procede a videoregistrazione integrale delle dichiarazioni. Si dà altresí atto della partecipazione, in qualità di assistenti dell'inquirente, del vicequestore Federico Prosperi e del commissario della Polizia di Stato Matteo Colonna.

L'indiziato, informato del diritto di nominare un difensore di fiducia, precisa di non averne bisogno. L'Ufficio provvede a nominare, in qualità di difensore di ufficio, l'avvocato Mauro Arnese, del Foro di Rimini, presente.

L'Ufficio informa l'indiziato che ha facoltà di non rispondere.

L'indiziato dichiara che non intende avvalersi di detta facoltà e spontaneamente dichiara:

D'OTTAVI Non ho niente da nascondere. Ho ammazzato quelle troie e ne sono fiero. È stato un atto di giustizia.

Preso atto di questa dichiarazione introduttiva, l'Ufficio dà inizio all'interrogatorio esibendo all'indiziato una fotografia raffigurante il cadavere di GUALFUCCI LINDA.

PM La riconosce?

D'OTTAVI Linda... era una vera puttana. Che cosa volete sapere?

PM Tutto.

D'OTTAVI L'ho strangolata. Ma questo lo sapete già, vero?

PM Come ha fatto a trasportare il corpo nel bosco?

D'OTTAVI Con la macchina. Pesava un quintale!

PM Non risulta che lei sia in possesso di un'automobile.

D'OTTAVI E allora? L'ho rubata, che c'è di cosí strano?

L'Ufficio mostra all'indiziato una fotografia raffigurante il cadavere di GERMONDARI DORIANA.

D'OTTAVI Ah, Doriana... ho letto sui giornali che non avete trovato l'arma del delitto... un vero peccato! Ho usato un tagliacarte d'argento. Un bell'oggetto!

PM Era suo?

D'OTTAVI L'ho trovato a casa di Doriana.

L'Ufficio mostra all'indiziato una fotografia raffigurante il cadavere di DALL'ANGELO MORENA.

D'OTTAVI Morena! Bellissima donna! Con lei ho fatto un bel fuocherello. Avete presente quando Pinocchio si addormenta davanti al camino e si brucia i piedi?

PM Vuole parlarci della signora Svetlana Liciuk?

D'OTTAVI Che le devo dire! Non sono riuscito a farmela, peccato! Sarà per la prossima volta!

Si dà atto che a questo punto l'indiziato si rivolge con tono arrogante al vicequestore Prosperi, esclamando: – Però forse tu hai una bella mogliettina... o magari una figlia... che aspetta solo che il lupo cattivo le metta le mani addosso...

Si dà atto che a questo punto il vicequestore Prosperi mostra l'intenzione di scagliarsi contro l'indiziato. Il vicequestore Prosperi pronuncia la seguente frase: – Stammi a sentire... forse non hai ancora capito che sei nella merda sino al collo... non puoi permetterti di minacciare piú nessuno, hai capito? Nessuno!

Si dà atto che l'indiziato replica:

– Avanti, mi colpisca! Mi dia un pugno! Il mio avvocato ne sarà felice... avanti!

A questo punto, su istanza del difensore d'ufficio, l'interrogatorio
viene brevemente sospeso. Si riprende dopo una pausa di quattro minuti. Il vicequestore Prosperi, su disposizione dell'Autorità Giudiziaria, è dispensato dal prendere parte alla prosecuzione dell'interrogatorio.

PM   Perché usa l'incenso?

D'OTTAVI   Copre la puzza. Loro puzzano di paura...

PM   Perché usa sempre la stessa musica?

D'OTTAVI   Perché mi piace. A lei no? Be', *de gustibus*...

PM   Perché ha ucciso quelle donne?

D'OTTAVI   Non capisco la domanda.

PM   Perché ha scelto proprio quelle donne!

D'OTTAVI   Erano loro che sceglievano me!

PM   E come decideva il modo di ammazzarle?

D'OTTAVI   Me l'ordinavano le voci...

PM   Quali voci?

D'OTTAVI   Le voci dei Giusti. Dovevo punirle...

PM   Per quali colpe?

D'OTTAVI   «Lungi da me i malvagi! Sostienimi secondo la tua promessa e vivrò, reggimi e sarò salvo... tu reputi scoria tutti gli empi della terra, perciò io amo i tuoi insegnamenti... praticai la giustizia e
il diritto... non abbandonarmi a chi mi opprime!»

A questo punto l'Ufficio, dando atto che l'indiziato non appare piú
compos sui, e che quindi non è in grado di proseguire l'interrogatorio,
d'intesa con il difensore d'ufficio sospende l'atto e dispone la traduzione del D'Ottavi presso la locale Casa Circondariale, disponendo che
lo stesso sia posto in isolamento con divieto d'incontro con tutti gli altri detenuti.

Il procuratore della Repubblica si affrettò a lasciare l'ufficio, visibilmente scosso dall'impatto con il Figlio dei fiori.

Prima di andarsene, l'anziano magistrato strinse la mano a Prosperi, assicurandolo che non ci sarebbero state conseguenze per la *piccola intemperanza* di poco prima. E gli confessò che anche lui aveva fatto *una fatica del diavolo* a mantenere il controllo.

In commissariato si respirava un'aria di grande euforia.

L'ispettrice Rubino si era sciolti i capelli e aveva improvvisato una grottesca parodia di tango coinvolgendo un legnoso Ippoliti. Roberto Fernandez aveva gli occhi lucidi di commozione.

Prosperi, «in attesa che quelli della Penitenziaria si decidano a muovere il culo e si vengano a caricare il nostro amico», aveva ordinato piadina e spumante per tutti.

E in un estremo sussulto di generosità, aveva invitato alla bevuta persino gli odiati giornalisti che dall'inizio della storia stazionavano nell'androne della questura.

Tutti cercavano Matteo Colonna. Ma Matteo Colonna, scambiato un cenno di saluto con i due nerboruti agenti che guardavano a vista il Figlio dei fiori, si era intrufolato nella stanza degli interrogatori, chiudendosi la porta alle spalle. Le dichiarazioni dell'arrestato confermavano la sua intuizione. Stavano per prendere una colossale fregatura. Avevano beccato l'uomo sbagliato. D'Ottavi non era il Figlio dei fiori. Ma con un po' di fortuna, forse, li avrebbe portati sino al vero assassino.

D'Ottavi giocherellava con un foglio bianco. Stava facendo una barchetta. Visto Matteo, gli piantò addosso due occhi smarriti.

– Che cazzo c'è? Che vuoi da me?

Matteo restò qualche secondo in silenzio a osservarlo. Un bambino mai cresciuto. Un bambino a cui avevano strappato la vita, dandogli in cambio soltanto doni di morte. Se fosse riuscito a trovare la chiave giusta…

– Allora? Che c'è ancora?

– «Tratta il tuo servo secondo il tuo amore... insegnami i
tuoi statuti... mirabili sono i tuoi dettami, e l'anima mia li os-
serva... volgiti a me, abbi pietà di me...»

– Che cazzo stai dicendo?

– Quello che tu dicevi prima, durante l'interrogatorio. Non
lo riconosci? È lo stesso salmo, il 119. La «lode alle leggi di
Dio».

– E allora? Sei venuto per farmi sapere che conosci l'Antico Testamento?

– No. Sono venuto per dirti che lui non è Dio.

– Ma di che stai parlando?

– Hai capito benissimo. Non è Dio. È solo un assassino.
Mentre tu...

D'Ottavi balzò in piedi. Matteo restò immobile. Si fronteg-
giarono per un tempo lunghissimo. Poi Matteo sospirò.

– Tu vedi in lui il padre che non hai mai conosciuto. Tu lo
idolatri, e lui ti ricompensa con le briciole. Ti dà le foto, vero?
E tu le conservi come reliquie! Ma ora, forse, si è stancato di
te. E tu hai pensato di fargli un dono. Avresti ucciso per lui.
Ma non sei capace di uccidere. Però... però saresti disposto a
passare tutta la vita in galera, per lui.

– Tu non sai proprio niente!

Però lo aveva scosso. Sembrava sull'orlo di una crisi di pianto.

Ma quanto oltre poteva spingersi? Eppure sapeva che in quel
momento, in quella stanza, si stava giocando una partita deci-
siva. D'Ottavi s'era rimesso a sedere, il suo sguardo, vacuo, ora,
vagava per la stanza. Matteo decise di insistere.

– Io so. Io so piú di quanto tu immagini... So che lui, adesso, ha paura.

– Paura?

Il professore prese a tremare. La sua spavalda sicurezza stava cedendo. Avanti, ancora un piccolo sforzo!

– Paura di te. Come devi esserti sentito solo, prima, quando per poco non riuscivo a prenderti! Solo come quell'altra volta, quando quell'uomo uccise tua madre... La polizia ti cerca,
non sai dove andare, gli telefoni, invochi il suo aiuto, e lui si

mostra comprensivo, disponibile, ti tranquillizza, poi fissa un appuntamento... Io, vedi, non riuscivo proprio a capire perché ti eri andato a cacciare in quella trappola, un grande magazzino, con il rischio di essere visto quando tutta la città ti stava dando la caccia. Ma adesso lo so: era un appuntamento. L'ha scelto lui, il posto, vero?

Si era chiuso un'altra volta, maledizione! Fissava il vuoto e cominciava a canticchiare... *Silence*, ovviamente. Come se la magia della musica potesse infondergli la forza di resistere alle sirene della verità.

– Sei stato fortunato! – quasi urlò Matteo. – Oppure lui ha commesso un errore, perché ti abbiamo trovato prima noi. Ma una cosa è certa: il Figlio dei fiori ti avrebbe ucciso. Perché tu sei l'unico che conosca il suo vero volto.

– Basta! Voglio andare in carcere! Voglio fare una doccia! Ho fame! Basta con questo strazio!

Matteo lo afferrò per le spalle, costringendolo a fissarlo negli occhi.

– Non giocarti la vita per lui. Io verrò a trovarti tutti i giorni, passerò le mie ore con te... e tu mi dirai chi è lui!

– Stai perdendo il tuo tempo, poliziotto! Il Figlio dei fiori sono io!

Matteo lo lasciò andare. Aveva perso. Ma ci avrebbe riprovato.

Ora, piuttosto, gli toccava affrontare Prosperi. Nella sala operativa, ancora ingombra delle foto di vittime e carnefice, l'allegria era al massimo. Il vicequestore gli allentò una pacca sulla spalla che per poco non lo mandò gambe all'aria.

– Fragilino, eh, il ragazzo!

Risate. Il sano cameratismo. Il legittimo orgoglio per la missione compiuta. Ora li avrebbe delusi. Ma perché diavolo spettava sempre a lui il compito di inserire la nota stonata?

– Sei giú? – chiese Roberto, con un bicchiere di carta colmo di liquido spumeggiante.

– Si chiama *rebound post stimolatorio*, – disse l'ispettrice Rubino, fissandolo con franca intensità. – Succede ai consumatori di cocaina. Prima si esaltano con la botta e poi avrebbero solo voglia di farsi un lungo sonnellino.

– Magari non da soli, eh?

Alla battuta di Roberto, rossore della Rubino e immediato broncio, rapido volger di tacchi e allontanamento dalla zona bagordi. Prosperi intervenne, con l'aria di un buon vecchio papà.

– Di' un po' la Rubino è sempre zitella?

– Ma che diamine, capo, si dice single! Quando imparerai?

– Be', il senso è quello, una cosí bella figliola...

– Ma, cosa vuoi farci, l'ultima volta che le ho chiesto di uscire mi ha risposto: grazie, sei tanto carino, ma stasera ho le finali del torneo di karate. Non so se mi spiego...

Altre risate. Ippoliti rientrò con un cartoccio di paste fresche appena sfornate, urlando: – Il cornetto della notte! Il cornetto della notte! Chi vuole il cornetto della notte...

Matteo si fece coraggio e dirottò Prosperi verso un angolo riservato.

– Non è lui.

– Eh?

– D'Ottavi non è il Figlio dei fiori.

Prosperi si frugò nelle tasche, ne tirò fuori un pacchetto di sigari, constatò che era vuoto, sbuffò, si guardò intorno, notò un mozzicone mezzo schiacciato in un posacenere, lo abbrancò, lo ripulí della cenere vecchia, lo accese.

– Ricominciamo?

– È tutto sbagliato, Prosperi.

– Cosa?

– D'Ottavi parla di voci, cita i testi sacri, è confuso... non ha un piano... l'aggressione a Svetlana non c'entra con gli altri delitti... l'ultima vittima è stata scelta a caso, le precedenti in ossequio a un disegno ben definito. No, non è lui. Ci sta prendendo in giro!

– E secondo te chi sarebbe D'Ottavi? Uno di quei fottuti emuli che si eccitano con la cronaca nera?

– No. Ha le fotografie.

– E allora?

– Potrebbe essere suo figlio...

– Il figlio del Figlio dei fiori?

Matteo annuí. Le vene del collo di Prosperi sembravano in procinto di esplodere.

– Stammi a sentire: ne ho le palle piene delle tue intuizioni! Quello stronzo ha confessato tutti i delitti. Ci sono le fotografie. E solo chi ha ucciso quelle disgraziate poteva averle. Sai che ti dico, Colonna? Tu tieniti le tue intuizioni, io mi tengo le mie solide, sicure prove!

Queste ultime parole, pronunciate in un crescendo, ebbero il potere di zittire i colleghi festanti. Cinque o sei paia d'occhi straniti si concentrarono su Matteo che si avviava all'uscita rovesciando al suo passaggio le carte e i bicchieri che ingombravano i tavoli. Roberto cercò di accodarsi, ma il commissario lo respinse con un gesto deciso.

Fuori della centrale quasi si scontrò con la scorta della Penitenziaria che si apprestava a caricare il *pacco* (questa l'affettuosa denominazione del detenuto in transito) sul furgone blindato.

Per un istante il suo sguardo e quello di D'Ottavi si incrociarono. Il professore sorrise. Matteo si rialzò il bavero del trench e tirò dritto.

Mentre gli incatenavano i polsi agli schiavettoni, D'Ottavi si abbandonò a una risata liberatoria. Quello stupido poliziotto non si era accorto della graffetta che, durante l'interrogatorio, era riuscito a nascondere sotto la lingua. Nessuno se n'era accorto. Aveva commesso molti errori, negli ultimi tempi, ma la sua uscita di scena sarebbe stata grandiosa. E Lui per primo ne sarebbe stato orgoglioso.

«Se mi svio come pecora smarrita, vieni a cercare il tuo servo, poiché non ho dimenticato i tuoi comandi!»

La musica del Figlio dei fiori risuonava come un beffardo contrappunto ai violenti scrosci di pioggia che si rovesciavano contro i vetri blindati delle finestre.

Incapace di prendere sonno, Matteo si chiedeva se ci fosse an-

cora qualcosa da tentare per convincere Prosperi. Il vicequestore era convinto di aver preso l'uomo giusto. E ne era convinto
perché di un'altra cosa era certo: chiunque fosse il Figlio dei fiori, era un pazzo. Un mostro. Ma le cose non erano cosí semplici.

Danielli, il suo maestro, quello che lo aveva aiutato a vincere la paura dell'autopsia, amava citare Kant: «Da un legno cosí storto come quello di cui è fatto l'uomo non si può costruire
nulla di perfettamente dritto».

Studiando i casi piú famosi degli ultimi trent'anni, Matteo
si era convinto che nessun serial killer può essere tranquillamente definito *pazzo*. Ancora il suo maestro: «Ci sono uomini fatti di un legno particolarmente poco diritto, saturi di quel male
che hanno scelto di fare: ma non sono folli, non sono mostri fatti di una materia diversa da quella umana. Sono uomini, e gli
uomini possono anche prediligere il male».

Prosperi l'avrebbe rapidamente rispedito a Milano. Non era
una cattiva persona, Prosperi. Ma non si rassegnava a capire.
Come tutti, quando ne va delle nostre certezze. E un pazzo fa
meno paura di un legno storto.

Sapeva già molte cose di *lui*. Sapeva che era freddo, sapeva
che non aveva esitato a sacrificare una persona che lo aveva eletto a suo Dio personale. Per comprendere a fondo le motivazioni
e il *modus operandi*, quello che orientava la scelta delle vittime,
avrebbe avuto bisogno di tempo, di studio, di concentrazione.

Ma era stato deciso che occorreva fermarsi alla superficie.
Errore tragico. Sapeva, inoltre, che avrebbe colpito ancora.
Quando? Subito, per festeggiare con un'ennesima beffa la cattura del suo succubo? O tra qualche anno, quando tutti si fossero dimenticati di lui? Matteo propendeva per la seconda ipotesi. *Lui* era un metodico: quattro soli delitti accertati in
vent'anni significavano una grande capacità di mimetizzazione
nel mondo dei *normali* e uno straordinario autocontrollo. Avrebbe lasciato passare del tempo. A meno che non fosse troppo anziano per attendere. A meno che la cattura di D'Ottavi non
avesse davvero scatenato un processo incontrollabile. A meno
che una qualche altra urgenza, che al momento non era assolu-

tamente in grado di determinare, non lo obbligasse a venire allo scoperto. Tempo, maledizione, serviva tempo. Ma non glielo avrebbero dato.

Sostituí a *Silence* un Cd di Bruce Springsteen. Con la sua voce calda, ricca di emozioni, il *boss* cantava: «This is the last chance for hearts of stone».

Bussarono alla porta. Per un riflesso condizionato, Matteo sobbalzò. Pensò d'istinto che poteva trattarsi di Davide Zanetti (non riusciva ancora, non sempre, a definirlo suo *padre*). Sarebbe passato a trovarlo, prima di ripartire? Si sarebbero scritti? Doveva invitarlo a Milano? Lo avrebbe, infine, accettato?

Ma non era Davide a cercarlo a quell'ora di notte. Era Anna. Fradicia, un po' corrucciata, gli mollò due scatole di cartone inzuppate d'acqua.

– C'erano una volta due pizze...

Matteo posò su un tavolinetto i cartoni sgocciolanti e si fece da parte invitandola a entrare.

Anna si tolse il soprabito e sedette con un sospiro sul divano-letto.

– Si può sapere che cosa vi ha preso, a tutti quanti? Apro la Tv e vedo che il commissario Colonna ha brillantemente condotto a termine la cattura del Figlio dei fiori. Mi precipito in commissariato per porgere al suddetto i dovuti omaggi... a proposito, dovuti omaggi... e Prosperi mi manda a quel paese...

– Abbiamo avuto una discussione.

– Non mi dire che torni a Milano?

– Cosí pare, – bofonchiò Matteo, lanciandole un asciugamano che la ragazza afferrò al volo.

Anna si passò l'asciugamano sui capelli bagnati, poi si alzò e gli andò vicino.

– Allora, prima che sia troppo tardi...

Quella fragranza che nemmeno la pioggia riusciva a cancellare, lo stordimento di quella bocca a cuore che lasciava intuire i piccoli denti perfetti... Matteo la prese tra le braccia. Anna si abbandonò. Si baciarono. La vita, dopotutto, aveva ancora qualche lato piacevole da esplorare.

– Mmm… ce ne hai messo del tempo… – mugolò lei.

La camicetta volò via in un baleno. Sempre baciandosi, si trascinarono verso il divano-letto. In quell'istante squillò il telefonino di Matteo.

– Spegnilo, – mormorò Anna. Matteo si divincolò dall'abbraccio e schiacciò il tasto della comunicazione.

– Chi è? Che cosa? Ma non è possibile… Arrivo subito!

Anna lo vide impallidire, e comprese che era successo qualcosa di serio. Si riappropriò della camicetta e gli rivolse una muta domanda.

– D'Ottavi, – sibilò Matteo.

– È scappato?

– Vieni, andiamo…

Usarono la macchina di lei. Rigido e piú cupo che mai, il commissario se ne stava con la fronte sul finestrino a osservare i rigagnoli dell'ultima pioggia che rigavano il vetro temperato della piccola Smart. L'unica informazione supplementare che era stata in grado di estorcergli riguardava la meta della spedizione: il carcere, anzi, la Casa circondariale, come pudicamente l'ipocrisia istituzionale definiva il tetro edificio ottocentesco che si stagliava alla periferia della città.

La prima volta che Anna ci aveva messo piede, aveva dovuto visitare, come consulente medico legale del Pm, un balordo di Gatteo a Mare che aveva fatto saltare il cervello a un vigilante durante una rapina andata male. Era un ragazzo alto e allucinato, in piena crisi d'astinenza. Il suo difensore allegava l'infermità mentale per cronica intossicazione da stupefacenti. La psicologa che l'accompagnava – anche lei una novizia – dopo avergli somministrato il test Minnesota Multiphasic, era stata colta da conati di vomito. Il ragazzo aveva approfittato della confusione generale per impossessarsi della stilografica dell'avvocato, cercando di aprirsi le vene. Il professionista si era messo a strillare come un'aquila. Prima che la sorveglianza intervenisse, lei era riuscita a placare il detenuto con un paio di ceffoni e a recuperare la preziosa Mont Blanc del legale. La sua apparentemente inossidabile calma l'aveva resa popolare presso i secondini di Rimini. In realtà, come sempre nei momenti duri, era stata abilissima a estraniarsi. Essere altrove, ma essere anche sul posto: vedere, annotare, percepire, ma senza partecipare. Questo il suo segreto. Le permetteva di non sprofondare nell'angoscia, dato il suo lavoro. Ora, l'espressione di Matteo lasciava chiaramente intendere che li attendeva un altro momento duro.

Giunsero alla Casa in contemporanea con la fine del temporale. Fuori del portone, sorvegliato dalle guardie armate di mitra, c'erano una camionetta dei carabinieri, un'ambulanza civile e una vecchia Rover inverosimilmente sgangherata sul cui cofano l'immancabile buontempone di turno aveva tracciato sulla polvere la consueta scritta: LAVAMI, PORCO!

Gli spalti erano illuminati di luce arancione, e alle torrette si intravedevano le sagome di altre guardie carcerarie.

Matteo e Anna varcarono il portone salutati da due piantoni storditi dal sonno e dall'eccitazione, e, passato il metal-detector, si avviarono nel cortile interno. Dentro c'era ad attenderli il maresciallo comandante, un cinquantenne dall'aria sudata e trasandata.

– Una cosa incredibile! Non so come sia potuta accadere... l'agente Muscau è ancora sotto choc... ma sentirà lei stesso, commissario. Venite, vi faccio strada...

Il maresciallo li scortò al secondo piano. Passarono due cancelli, poi un terzo, e infine furono all'interno del reparto isolamento.

Prosperi e due giovani, uno dei quali in divisa, stazionavano davanti alla porta spalancata della cella (ma il termine tecnico, non mancò di ricordare Anna, è *stanza*) numero sette. Il vicequestore mandava rabbiosi sbuffi di fumo dall'eterno sigaro. Nel vederli arrivare, Prosperi mosse verso di loro.

– Venite, venite. Hanno fatto un capolavoro, questi qui!

Questi qui: il giovane in borghese, che Matteo intuí essere il direttore, teneva le mani lungo i fianchi e continuava a scuotere la testa, in un atteggiamento sconsolato, e quello in divisa, l'agente Muscau, piccolo, scuro, un sardo dai tratti quasi arabi, un occhio nero e un graffio fresco sulla guancia destra, tirava su col naso e aveva gli occhi rossi a testimoniare di una crisi di pianto non ancora perfettamente smaltita.

– Non so come sia potuto accadere, proprio non era mai successa una cosa simile, – dichiarò il direttore, ma Prosperi lo liquidò con un'occhiata gelida, e, rivolgendosi al giovane agente, gli ordinò di ripetere 'sta storia al commissario.

– Niente, – attaccò Muscau, – sentivo rumore, e allora sono andato a vedere, mi sono affacciato allo spioncino, e quello era tutto sporco di sangue. Allora ho chiamato il capoposto, ma intanto quello gridava, e cosí ho aperto, per vedere, e come ho aperto, niente, quello mi è venuto addosso, e mi ha buttato per terra. Io ho gridato, ma quello era forte come un toro, glielo giuro, signor commissario, come un toro. Mi ha sfilato la cintura dei pantaloni e poi mi ha dato un pugno e poi...

– E poi non ricordo piú niente! – completò Prosperi, con un ultimo, iroso soffio di fumo. – Va' a dare un'occhiata, Colonna. Vacci anche tu, Anna.

Entrarono. Una di quelle che in gergo si chiamano *celle lisce*: vietate dal regolamento penitenziario, riservate, in via semi clandestina, ai pericolosi in isolamento. Una *cella liscia* ha una brandina inchiodata al pavimento, pareti nude, materasso antincendio, con lenzuola antistrappo e un cuscino antisoffocamento. Una lampada a plafoniera avvitata al soffitto, troppo alta per poter essere raggiunta anche salendo sul letto. E anche mettendoci su la sedia, ammesso che si fosse riusciti a staccarla dal pavimento. D'Ottavi c'era riuscito. Ed era anche riuscito a salirci su. Ed era riuscito a passare la cintura rubata all'agente Muscau tra due sbarre della finestrella a bocca di lupo che permetteva unicamente di intravedere il lucore arancione dei fari esterni di vigilanza. E con la cintura aveva annodato un cappío intorno al collo, e s'era lasciato andare giú, a corpo morto. Ora dondolava beffardo, imbrattato di sangue, irraggiungibile dalla giustizia umana, i piedi arcuati e un'espressione quasi serena sul volto devastato dal soffocamento. «Addio, bambino solo e disperato», mormorò tra sé

Matteo, «addio. Gli sei stato fedele sino all'ultimo. Ma lui non meritava questo sacrificio!»

Prosperi gli fece vedere un piccolo ferretto deformato.

– Ha rubato una graffetta durante l'interrogatorio, si è ferito, ha attirato l'attenzione della guardia e si è impiccato.

– E quelli?

Matteo si voltò. Sulla parete opposta all'impiccato spiccavano segni rossi: sangue ancora fresco. Sí avvicinò per vedere meglio.

– Allora? – incalzò Prosperi.

– È una scritta, – spiegò Matteo.

– Ha un senso, secondo te?

– *Eloí, Eloí, lemà sabactàni*. Sí, ce l'ha.

6.

«*Parsifal non era un angelo o un santo, ma un vero uomo d'azione, in ricerca, dotato in egual misura delle virtú del coraggio e della compassione, a cui si univa la lealtà. E fu grazie alla saldezza in queste virtú, non per grazia sovrannaturale, che Parsifal giunse, infine, a conquistare il Graal*». Trovo profondamente giusta questa citazione, al punto che voglio servirmene come epigrafe funebre per G.

G. non era Parsifal, s'intende, perché nessuna delle virtú sopra descritte gli apparteneva sino in fondo. E ciò nonostante i miei sforzi... e... oh, furono immani sforzi... tuttavia, nell'istante supremo egli non ha potuto dimenticare la devozione e la lealtà che lo legavano a me. Ha sbagliato nel considerarmi Dio, quando avevo la piú modesta pretesa di essere unicamente un buon padre. Non posso nemmeno tacere un altra circostanza: si dimostrò debole nel momento del tradimento. Il tradimento del Padre, ovviamente. Non seppe trarne il dovuto profitto, si ritrovò precipitato nella Terra Desolata e reagí con un diverso, piú ruvido tradimento. Al punto che fui costretto a intervenire. La storia ha poi deciso diversamente, e G. ha trovato il riscatto. Il suo Graal è stata la morte, con un sorriso finalmente riconciliato. E su G. cali infine il sipario: costui ha già occupato uno spazio eccessivo nel mio prezioso tempo umano.

Io ho ancora il mio Graal da conquistare. La mia diuturna lotta per la riaffermazione della Legge dei Padri non può conoscere né soste né battute d'arresto. Ne va dell'ordine del mondo, già cosí compromesso dalla stolta deriva nella quale precipita a passo di carica la caotica epoca che ci è stata data in sorte di vivere. Si tratta, ora, di ricominciare. Non dovrò nemmeno abituarmi a una solitudine che per me, per la mia opera, sarebbe fatale. Non dovrò farlo *perché ho già dei progetti. Si tratta di attendere il momento opportuno per metterli in opera. Ho già il mio Parsifal da plasmare. A riportarmelo non è stata quella che gli idioti definirebbero* casualità *o la* mano del destino. *No. Tutto questo non c'entra. Tutto questo ha avuto inizio in un tempo lontano, di là dalla mia stessa volontà di allora. Fui io a decidere, allora, in quel preciso istante, del destino di entrambi.*

Per questo, oggi, il suo ritorno è una chiamata, una vocazione. E mia è la voce dell'araldo. Accade spesso, d'altronde, che l'eroe sia chiamato a strapparsi a una condizione di rassicurante mediocrità, e che il messaggero, colui che porta la vocazione, appartenga al regno sordido del deforme o del mostruoso. Accade anche nel nostro caso: egli è convinto di militare nelle armate della luce, e invece sta prestando, inconsapevolmente, il suo mirabile braccio alle forze della notte. Io, che in questo momento appaio come una truce personificazione del male, rappresento, invece, l'unico principio in grado di opporsi al maniacale degrado della contemporaneità. Prima o poi il messaggio riuscirà a farsi strada nella sua mente ottenebrata dagli idoli della folla. Occorrerà un lungo percorso, ma la ricerca, infine, diverrà comune a entrambi. E apparirà chiaro, allora, in quel magico istante, che Egli è, come avevo intuito sin dal principio, il Vero Parsifal, l'eroe franco, nobile, incorrotto, il figlio della natura sincero, forte, puro nel cuore... Ah, ripristinare insieme la Legge dei Padri... Ma non voglio essere disonesto con me stesso, e men che meno con lui: dapprincipio, non avevo le idee molto chiare, riguardo al nostro futuro. È verosimile che abbia anch'io sentito qualcosa di simile a una chiamata, e che mi sia indotto ad agire di conseguenza. Sul conto di G. mi ero illuso, sino al piú tragico degli errori. Con lui non accadrà niente di simile.

Meravigliosa potenza dell'Essere! Meravigliosa illusione del Divenire! Iniziai il cammino proponendomi di studiare, osservare, carpire informazioni, volgerle a profitto del mio disegno. Mi trovo ora a un passo dalla conquista del tesoro piú prezioso: un Figlio a cui insegnare l'arte di vivere e quella di tradire!

– Ha scritto sulla parete della cella, con il suo sangue: *Eloí, Eloí, lemà sabactàni?* cioè *Dio, Dio, perché mi hai abbandonato?* La ricorderete tutti, credo, questa frase: sono le ultime parole di Cristo sulla croce, ma «Dio» è anche il padre di Gesú, per questo la frase esprime il lamento del Figlio che si sente abbandonato dal Padre. D'Ottavi è il figlio, il padre, da cui si sente abbandonato, è l'assassino. D'Ottavi si è ucciso per non tradirlo. Perché sapeva che io avevo capito tutto.

Un pallido sole filtrava dai vetri della finestra dell'ufficio di Prosperi. Matteo percorse l'ambiente con un'occhiata inquieta. Roberto Fernandez lo ascoltava con grande attenzione. L'ispettrice Rubino giocherellava con un tagliacarte di ottone. Il vicequestore accese l'immancabile sigaro: Matteo percepiva, insormontabile, la sua diffidenza.

– Colonna, quando la pianterai con questa storia? L'abbiamo preso e si è suicidato, pace all'anima sua.

Matteo ricominciò la sua spiegazione. Paziente. Tenace. Come aveva imparato ad apparire nei lunghi anni di solitudine dell'infanzia.

– Ascoltami. D'Ottavi ha sei anni nel '72, quando qualcuno gli uccide la madre. Deduzione nostra: il bambino ha uno choc. Molti anni piú tardi ucciderà ricostruendo intorno a sé l'atmosfera di quegli anni, la musica rock, l'incenso, il travestimento da hippie.

– Mi sembra perfettamente logico…

– Hai ragione, è logico, ma… ma c'è un ma. D'Ottavi mi spara e scappa. Solo che invece di scomparire si fa beccare come un piccione nel piú grande centro commerciale della Riviera. Perché?

Prosperi scosse la testa.

– Perché è uno psicopatico, fattene una ragione!

– No, no, no! Quella del serial killer psicopatico che ragiona come un cretino è una balla grossa come una casa! Siamo alle prese con un individuo che ragiona come te e me. Meglio di te e di me. Un'intelligenza superiore alla media, una macchina da guerra che pensa tutto il santo giorno al modo di uccidere e di non farsi prendere. Di non farsi prendere, Prosperi! Per vent'anni quest'uomo uccide senza che nemmeno si sospetti la sua esistenza e poi... poi si lascia catturare come un fesso! No. Vuoi sapere perché l'abbiamo preso, in quel centro commerciale? Perché *lui*, il vero Figlio dei fiori, gli ha dato un appuntamento. E sai perché gliel'aveva dato, quell'appuntamento? Per ucciderlo. D'Ottavi era solo un povero orfano con la testa bacata. Dobbiamo cercare il padre, maledizione, il padre!

Al termine dello sfogo, Prosperi si abbandonò a un ironico battimani.

– Prove?

– Nessuna.

– Io invece ho una confessione e una testimone! O ti sei scordato di Svetlana?

Il vicequestore squadernò l'ultima edizione del «Resto del Carlino» e puntò l'indice sul titolo a caratteri cubitali:

LA FINE DELL'INCUBO

IL FIGLIO DEI FIORI SI ARRENDE ALLA POLIZIA

Matteo ripiegò il giornale e disse, con un sorrisetto ironico: – Non pensavo che avessi una cosí alta opinione della stampa!

Prosperi picchiò un pugno sul tavolo e si alzò di scatto.

– Basta! Non corrisponde a quel cazzo di profilo psicologico che ti hanno insegnato a scuola? E chi se ne frega! Vuol dire che stavolta hai imparato che non sempre i libri hanno ragione! Basta. Domani te ne torni a Milano!

– Gli ultimatum mi portano fortuna, dovresti saperlo.

Senza degnarsi di rispondere, Prosperi si catapultò nel corridoio, tirandosi la porta alle spalle.

L'ispettrice Rubino era sempre piú concentrata sul suo tagliacarte. Roberto lo fissava con i suoi occhi ironici.

– Va bene, ho esagerato, lo ammetto, – si scusò Matteo, allargando le braccia. – Ma almeno voi mi credete?

Seguí un lungo, imbarazzato silenzio, che Roberto ruppe con un sospiro perplesso.

– Può darsi, hai capito com'è Prosperi, no? Generoso, istinti-
vo, ma quando parte per la tangente non lo riacchiappi piú. Però
sa quando è il momento di arrendersi all'evidenza.

– Se voi due mi deste una mano...

La Rubino sollevò lo sguardo dal tagliacarte e gli regalò un
sorriso luminoso. Roberto si strinse nelle spalle, come per dire:
ormai che sono in ballo...

Matteo cominciò dalla Rubino.

– Cos'altro sappiamo su D'Ottavi?

L'ispettrice si schiarí la voce.

– Be', avevamo cominciato a spulciare un po' di carte, ma
dopo la cattura, e poi con quello che è successo stanotte...

– Voglio un controllo incrociato tra i suoi spostamenti e le date degli omicidi. Cominciamo dalla Maltese. È il fatto piú recente, e dovrebbe essere facile verificare se, come io credo, mentre
uccidevano la donna lui stava da tutt'altra parte.

La Rubino prese nota e si avviò al suo ufficio.

– E io? – fece Roberto sospettoso.

– Tu vieni con me nell'anno 1972!

Perché dipendeva tutto da quel primo delitto. L'assassinio
della madre di D'Ottavi. Bisognava scavare in archivio. Tornare a quel primo delitto. La data era essenziale: 1972. I ragazzi
che scoprivano l'amore libero e gli allucinogeni. La società che
dava uno scrollone definitivo ai vecchi miti, mettendo in discussione tabú sino al giorno prima consolidati e inattaccabili.
Un uomo uccide una donna e in qualche modo si prende cura
del suo bambino.

– Ma la biografia di D'Ottavi non parla di aiuti esterni. A
parte quello zio, quello a cui fece fuori il gatto – aveva obbiet-
tato Roberto, mentre cercava furiosamente di rintracciare l'archivista Martani, tristemente noto come la Primula Rossa della polizia riminese.

– Allora supponiamo che D'Ottavi abbia rintracciato l'uomo che gli aveva ucciso la madre e si sia legato a lui. L'altro...
voglio dire il Figlio dei fiori, l'ha accettato.

– E poi a un certo punto ha deciso di liberarsene. Perché?
– Perché? Supponiamo che tra loro sia successo qualcosa.
Cosa, non lo so. Ma qualcosa dev'essere successo, qualcosa che
ha a che vedere con la conferenza stampa, con l'annuncio che
avevamo individuato il serial killer. Ma non so dirti, ora, che
meccanismi si siano innescati.

Intanto, le ore passavano e dell'archivista nessuna traccia. Roberto si abbandonò a pericolose confidenze sulla sua *sfiga* con le
donne, e Matteo gli rivelò che Davide Zanetti era, o poteva essere, suo padre. E che lui, Roberto, era il primo a saperlo. Roberto
disse che doveva assolutamente conoscere questo *signor Colonna
senior*, anche per capire se era da lui che Matteo aveva ereditato
il dono di far incazzare i capi e di schiavizzare gli amici. Poi si fece portare da un bar piadina, prosciutto e birra. Matteo si limitò
a yogurt e succo di mela. Roberto osservò che chi mangia male vive male. Matteo rispose che il suo cattivo rapporto con la tavola
veniva da lontano, da una certa madre Carmela, cuciniera al Pontormo: non certo la maestra di Vissani!

L'accenno alle suore riportò alla mente di Matteo la storia di
Mirko. Raccontò anche quella a Roberto. Poi l'amico gli chiese di
parlargli della sua vera madre. Matteo gli disse di Laura. Roberto lo ascoltò con profonda commozione. Poi si abbandonarono a
un diverso genere di confidenze. Matteo svelò la sua passione per
il cinema («pensa che a sedici anni volevo andare a Cinecittà, per
iscrivermi al Centro Sperimentale. Non so come, ma suor Celeste
venne a saperlo e mi sequestrò tutti i risparmi e i documenti. Secondo lei, il cinema era roba del Demonio, eccezion fatta per *Ber-
nadette*, *Marcellino pane e vino* e qualche altro titolo della San Pao-
lo…»). Roberto gli confidò un'altra passione, quella per Anna.
Matteo tacque, un po' dispiaciuto per lui. Roberto stemperò con
una battuta: si era accorto benissimo che la dottoressa provava
qualcosa per Matteo, e «siccome sono un generoso, ho deciso di
rinunciare a esercitare il mio irresistibile fascino».

Le ombre della sera avevano già invaso il commissariato
quando finalmente Primula Rossa, inondato di messaggi, si degnò di telefonare. L'archivista era a casa, e soltanto alternando

lusinghe e minacce lo convinsero a fare ritorno in centrale. Mentre consumavano gli ultimi istanti di attesa davanti alla porticina dell'archivio, Matteo osservò che, continuando di questo passo, rischiavano di diventare amici.

– Va bene, – replicò Roberto, – ma non esageriamo, eh? La questura è piccola, la gente mormora, sai com'è...

Fu così che l'archivista Martani, un sessantenne dall'aria pedante e visibilmente irritato per essere stato costretto a interrompere la sua giornata di riposo, fu accolto dalle franche e sonore risate dei due poliziotti.

Quanto all'archivio, era un labirinto di altissime scaffalature ingombre di polverosi incartamenti illuminati da gelidi tubi di neon nel quale era difficilissimo districarsi senza provare la sgradevole sensazione di star provocando il risveglio di una legione di ratti. Fortunatamente, come osservò Martani, *i signori* conoscevano l'anno e la data del delitto che loro interessava. L'agognato faldone riposava sull'estrema scansia dell'ultima scaffalatura, e Primula Rossa, adducendo motivi sindacali e una non meglio identificata dolenzia lombare, si rifiutò categoricamente di posare un piede sulla traballante scala di legno il cui zenith si perdeva nelle ragnatele del soffitto. Fu Matteo ad arrampicarsi, rischiando un'overdose da dermatofagoidi, e a consegnare all'archivista, per l'annotazione sul registro delle consultazioni, un non troppo voluminoso fascicolo.

Finalmente, sul tavolo che Martani aveva messo loro a disposizione, Roberto sciolse i legacci che avvincevano quei vecchi fogli dimenticati.

– Iniziamo dall'informativa, – suggerí Matteo.

– Allora si chiamava *rapporto*, – ricordò l'archivista. Roberto passò a Matteo il primo foglio.

QUESTURA DI RIMINI
COMMISSARIATO CENTRALE

Alle ore 10.45 del 14 luglio 1972 u.s. personale in servizio presso codesto Commissariato (Agente scelto Tirelli, Agente Porcacchia), allertato da una segnalazione proveniente dal responsabile dell'associazione «Pro Fide Dei», rinvenivano all'interno della «Colonia Arcobaleno» il corpo di una donna, dell'apparente età di anni trenta, deceduta in seguito ad evidenti segni di strangolamento. Dai documenti in possesso della vittima risultava che il cadavere era appartenuto, in vita, a tale D'Ottavi Annalisa, nata a San Piero in Bagno (FO) il 27 febbraio 1940, nubile, incensurata, residente in Riccione [...]

Matteo osservò le due fotografie: un'istantanea del cadavere, il volto tumefatto, gli occhi sbarrati, la maglietta sollevata su un seno opulento, e una formato tessera. Mostrava una ragazza mora, con lunghi capelli, naso vagamente irregolare, occhi scuri e un po' vaghi. Un'inquieta bellezza d'altri tempi. Non era certo sulla base di un certo tipo fisico che il Figlio dei fiori sceglieva le sue vittime.

– Ah, la Colonia degli Orrori! – commentò l'archivista, che si era avvicinato per curiosare.

– Se la ricorda?

– Altroché! Voi non eravate ancora nati, ma qui non si parlò d'altro per un bel pezzo... La colonia stava fuori Rimini, sulla litoranea... Dopo che hanno ammazzato quella donna, tutto è stato abbandonato, dicevano che portava sfortuna...

– Esiste ancora?

– Quel che ne rimane...

Una terza fotografia, in bianco e nero. Il *totale* del cadavere su un letto disfatto. Roberto gli passò l'esile incartamento medico-legale.

Verbale di esame anatomo-patologico eseguito su incarico del procuratore della Repubblica di Rimini dal dottor Vittoriano Brancale. Il 16 luglio alle ore (*omissis*) il cadavere di una donna di anni trentadue (*omissis*) dall'esame della salma e dalle analisi tossicologiche è risultato che al momento del decesso la vittima era sotto effetto di stupefacenti: acido lisergico (Lsd). Vistose ecchimosi sulle mani e sulle braccia, segno evidente di lesioni da difesa. Bruciature di sigarette sul seno e sulle cosce. L'asfissia meccanica è stata indotta a mezzo di garrottamento, e cioè mediante l'azione compressiva contemporanea di due forze contrapposte: si ritiene verosimile che l'esecutore abbia stretto il collo della vittima da dietro mentre con l'altra mano schiacciava la testa della vittima contro un corpo solido (spalliera del letto?) Circa l'epoca del decesso, essa deve farsi risalire, in base all'evidenza tanatologica, a non piú di sei-otto ore prima del rinvenimento del cadavere […]

– L'informativa, pardon, il rapporto, parla anche dei successivi sviluppi… leggi qua.

Le indagini, coordinate dal dottor Vidussi della Squadra Mobile, non hanno consentito di individuare testimoni oculari. Il delitto fu commesso all'interno dell'edificio principale del complesso, noto come Torre Piacentini. Il responsabile dell'associazione che gestiva la colonia estiva per i minori indigenti ha riferito che la sera dell'omicidio vi era stata la festa d'addio del primo gruppo di bambini, che l'indomani sarebbe stato sostituito da un altro gruppo. È verosimile che l'assassino si sia introdotto nella colonia profittando della confusione (alla festa erano invitati i familiari dei bambini), ovvero che si trattasse di persona conosciuta dalla vittima. A questo proposito si segnala che, in seguito a ulteriori accertamenti, si è potuto risalire all'identificazione di un giovane che risulta aver frequentato la vittima nel periodo immediatamente precedente la sua uccisione. Si tratta di tale Bertocchi Alessandro, nativo di Savignano sul Panaro, di anni venticinque, professione studente fuori corso di lettere e filosofia, segnalato come simpatizzante di movimenti politici eversivi. È peraltro emerso che il Bertocchi risulta deceduto in data 18 luglio 1972, e cioè cinque giorni dopo la data presumibile del fatto, in seguito a incidente automobilistico. L'autovettura sulla quale viaggiava, una Alfa Romeo Spider, risulta essere uscita di strada al trentasettesimo chilometro della SS Umbro-Casentinese. L'autovettura, ribaltatasi e incendiatasi, si trasformò in un rogo fatale al Bertocchi, del cui corpo rimasero unicamente pochi resti carbonizzati.

– Era questo qui, – disse Roberto, mostrando un'altra fotografia. Due ragazzi sui venti-venticinque anni. Uno in costume da bagno e maglietta bianca. L'altro, cerchiato da un pennarello rosso, con una camiciona a fiori e i capelli lunghi. Dietro la foto, un diligente investigatore aveva annotato: *Cerchiato rosso-Bertocchi*.

– Bertocchi...

– Il caso viene archiviato tra gli insoluti, – commentò Roberto, – ma come ti ho già detto parlando di D'Ottavi erano tutti convinti che a uccidere la donna fosse stato questo Bertocchi.

– Simpatizzante di movimenti estremistici...

– Bastava poco, a quel tempo, – filosofò l'archivista. – Bastava avere i capelli lunghi e vestirsi come Mao-Tze-Tung. Ma voi che ne sapete di Mao!

– Sí, – riprese Matteo, – ma il corpo di Bertocchi non fu mai identificato.

– E allora?

– E allora... andiamo alla colonia, no?

– Subito?

– E quando, se no?

– Ti giuro su ciò che ho di piú sacro al mondo che domattina, alle otto in punto, passo a prenderti. Ma stasera no, diavolo! Non ci si vede un tubo, e poi magari riprende a piovere, potrebbe esserci una piena del fiume, l'inondazione, che ne so...

Matteo gli scoccò un'occhiata ironica.

– E magari l'invasione delle cavallette. Mi sembri John Belushi in *The Blues Brothers*... Hai presente quando cerca di convincere l'ex moglie a non massacrarlo con il mitra? Hai qualcuna sottomano, per caso?

– Nooo... è solo che... ma insomma, non stacchi mai, tu? Pensavo che potevamo fare qualcosa insieme...

– D'accordo, – disse Matteo, colto da un'improvvisa ispirazione. – Ti farò conoscere una persona.

È una ragazza alta, slanciata. Una modella, ovviamente.

Confusa tra le altre... tutte indossano ridottissimi costumi da bagno e vanno avanti e indietro lungo una passerella inondata dai flash dei fotografi, si aggira tra i fondali che mimano un'inverosimile estate fuori tempo: un cactus, una duna, una vera fuoriserie con le portiere aperte, sul cui cofano si stiracchia un'opulenta figurante dai seni eccessivi, in ossequio al più classico stile donne&motori.

Poiché è prassi che le collezioni vengano presentate con una o due stagioni d'anticipo sulla commercializzazione, nessuno tra i partecipanti a questo nauseabondo rito presta la benché minima attenzione all'inverosimile contrasto tra il temporale che bombarda la costa e lo scenario tropicale della sfilata.

Ma io stesso non avrei potuto immaginare una più efficace metafora: la legge della moda contro la Legge dei Padri, l'artificiosa estate della compravendita di seduzione contro il naturale inverno del Giusto Ritmo.

Lei rientra nel backstage: avanti un'altra. Via l'altra, lei ritorna: ha un topless color pesca impreziosito da perline di fiume e un monogramma inciso all'altezza dell'inguine, una sorta di blasfema croce runica che marca il suo perfetto, quasi anoressico signum vitae. Un velo di tulle dello stesso colore dello slip fluttua intorno al torace, lasciando intuire due piccoli seni acerbi. Avanza e volteggia ondeggiando le magre anche, i suoi occhi sono vuoti. Intorno, i profumi firmati dagli stessi sarti si mescolano alla cipria e al sudore, ma stentano a scacciare l'odore dell'ozono che penetra dalle fessure del tendone che l'Amministrazione Comunale ha allestito per l'ultima edizione di GABICCE MARE MODA.

Ho visto quanto basta, posso rientrare. Torno a piedi verso la mia automobile, percorso dalle ondate di benessere portate dalle grosse gocce sature di elettricità che la natura generosa rovescia sugli umani ingrati.

Le modelle sono moleste. Adamo ed Eva erano nudi, e sapete da che indizio Dio si accorse della loro trasgressione? Dalla foglia di fico con la quale, dopo l'intervento del Serpente, li scoprì a coprirsi le pudende. Il Serpente aveva donato loro la consapevolezza della nudità: dunque, del peccato. Costosi abiti e raffinati gioielli, tra l'altro, sono gli strumenti dei quali coloro che hanno dimenticato la Legge dei Padri piú di sovente si servono per addomesticare le coscienze, per asservirle. Soprattutto le donne ne sono vittime. La stessa bellezza, quando la si faccia assurgere al rango di divinità, è un pericolo.

Il suo lavoro, dunque, di per sé giustificherebbe il castigo che ho ideato per questa tipica ragazza dei nostri tempi. *Non è ipotizzabile infatti, nemmeno nella piú assurda delle astrazioni teoriche, una modella che non sia consapevole parte del disegno di alterazione del Giusto Ritmo. Sarebbe come immaginare un porco vegetariano, o una prostituta casta. A certi livelli di depravazione, non esistono sottigliezze né distinzioni. L'intervento deve essere netto, preciso, cristallino, chirurgico. Tuttavia, non è a causa del suo modo d'essere che sarà punita. Ancora una volta, è stata la qualità delle sue azioni a scatenare la risonanza destinata a esaurirsi nella cerimonia purificatrice.*

Piú tardi, forse stanotte stessa, effettuerò un nuovo sopralluogo nella sua casa. Non ho ancora deciso quando agire. Non immediatamente, comunque: è opportuno che le acque si calmino. È opportuno che lui, nel frattempo, sia diventato un alleato.

Ma per questo c'è tempo: in questo frangente, altre tensioni occupano la mia mente. Procede, inesorabile, il lento percorso di avvicinamento che ho avviato, e che è destinato a frantumare le distanze che un tempo si frapponevano fra noi due. Già egli mi permette di intuire alcuni brandelli del suo mondo interiore. Sono pochi lampi, ma in grado di fornire preziose indicazioni. La sua vita, il suo essere, per quanto mi è dato di comprendere, ruotano intorno ad alcune figure-cardine: la Solitudine, l'Abbandono, l'Orgoglio, la Solidarietà. Un cocktail di disperazione e di purezza me l'ha consegnato quale oggi è. Egli è ancora ben lontano dall'acquisire piena consapevolezza della propria natura angelica ed eroica, eppure già avverte, con inquietudine, i segni della crescita. Non sa ancora dare un nome al fantasma che lo turba, ma lo percepisco distintamente già schiavo del turbamento. Non saprà rinunciarvi, quando verrà il momento della rivelazione.

È la felicità di una nuova completezza che pregusto mentre le luci di Rimini si profilano all'orizzonte.

La grossa palla rotolò sul parquet e andò a colpire esattamente nel centro della formazione i birilli, che schizzarono in aria.

– Strike!

Davide Zanetti si girò verso gli amici del figlio. Un sorriso soddisfatto si diffuse sul suo volto mite, e le mani si levarono al cielo, nel gesto di un bambino tripudiante.

– Detesto il bowling, – si lamentò buffamente Roberto, – C'è un sacco di rumore e oltretutto è in mano ai filippini, e se non conosci la loro lingua nemmeno riesci a farti dare una co-cacola.

– Andiamo bene! – mugugnò Anna. – Schiappa e pure razzista!

– È che non sopporto di sentirmi straniero in patria.

– Tocca a te, – tagliò corto la dottoressa. – E stavolta vedi di prenderne almeno uno.

– Spiritosa!

Roberto si preparò al tiro. Davide attraversò il rumoroso salone e andò a sedersi accanto a Matteo, che lo accolse con una cameratesca strizzatina d'occhi.

– Bel colpo!

– Solo fortuna!

La palla di Roberto, intanto, si era incanalata nella via laterale. Anna scosse la testa, sconsolata.

– Mi piacciono i tuoi amici ,– disse Davide, – gente seria, si vede.

Matteo pensò che, una volta tanto, aveva avuto due buone idee: prendersi una serata di relax e coinvolgere Davide. Sentiva intorno a sé armonia, disponibilità, la giusta lentezza dei momenti morti, qualcosa di assai simile a un giusto ritmo della vita che non era mai stato in grado di assaporare compiutamente. Era come... come una sorta di compensazione... molto di ciò che gli era mancato quand'era un ragazzino chiuso e scontroso ora gli veniva messo a disposizione. Il materializzarsi di fantasmi benefici lo sradicava dalla condizione di orfano. Con tutto quel che segue in termini di ritorno alla vita. Ma anche D'Ottavi era stato un orfano, a pensarci bene. E anche lui, a un certo punto del suo percorso, si era imbattuto nel padre. Ma era un falso padre, uno spregevole assassino. L'analogia tra la sua condizione e quella del defunto professore lambí un'area sensibile del suo cervello, ma non ci fu tempo di approfondire.

– Era tanto che non mi divertivo cosí, – stava dicendo Davide, incerto se accendere o no una sigaretta. – Sai, venivamo spesso qui con Laura... una vita fa. Pensa, è stato proprio al bowling che le ho chiesto di sposarmi.

– E lei?

– Lei si è fatta tutta seria e ha detto: sí, ti sposerò, ma solo se mi porterai a piazza San Marco.

– Non mi piace Venezia.

– Neanche a me! – si eccitò Davide. – Lo vedi? Lo vedi che i segni... scusami...

Matteo annuí. Poi gli sorrise. Padre e figlio si scambiarono uno sguardo vagamente complice. Davide sembrava commosso. Roberto, con un'espressione divertita, interruppe l'idillio.

– La verità è che sono stato campione regionale di bocce nel '97, ma non volevo umiliarvi.

Matteo si diresse alla griglia delle bocce, afferrò una pesante biglia nera, la soppesò, poi si sistemò in posizione di tiro. Anna prese posto tra Davide e Roberto. Matteo lasciò andare la palla.

– Strike! – urlò Anna, tutta eccitata.

Matteo tornò verso di loro con l'andatura caracollante del trionfatore. Anna gli si fece vicinissima.

– Ti va se nella prossima facciamo coppia?

Matteo le dedicò un sorriso dolcissimo.

Davide Zanetti, che aveva seguito il siparietto, voltò pudicamente la testa. La dottoressa non faceva mistero dell'attrazione per Matteo. E il figlio ne sembrava consapevole e compiaciuto. Un amore passeggero sbocciato durante la missione e destinato a concludersi con il ritorno di Matteo a Milano? Una storia seria, di quelle che durano negli anni sfidando le acide censure del tempo? Presto per dirlo. A ogni buon conto, un padre, anche se cosí tardivamente comparso sulla scena, aveva comunque il dovere di vigilare.

– Un uomo ha ucciso padre, madre, tre figli e il cane di casa. Prosperi lo prende, lo sbatte al muro e gli chiede: «Ma come hai potuto fare una cosa simile?» E lui: «È tutta colpa della mia mamma. Mi diceva sempre: "Gino, devi farti una famiglia"... capito? Farti... famiglia...»

Roberto segnalò una svolta a sinistra, seguendo col dito la linea rossa che l'archivista Martani, tanto sfuggente quanto prezioso, aveva tracciato su un vecchio stradario del riminese. Dietro la consueta raffica di agghiaccianti storielle a sfondo sadico-omicida, s'intuiva l'inquietudine che cresceva a mano a mano che si avvicinavano alla colonia.

Roberto era nervoso perché il rapporto con l'ignoto turbava la sua natura cristallina. Matteo per un diverso motivo: dalla spedizione alla Colonia Arcobaleno dipendeva il futuro dell'indagine. Se avessero trovato quello che cercavano – e lui non ne dubitava, non piú, a questo punto –, Prosperi avrebbe dovuto fare marcia indietro. I giochi si sarebbero riaperti. E allora per il Figlio dei fiori sarebbe iniziato il conto alla rovescia. Ma erano passati tanti di quegli anni da quel lontano delitto...

– Guarda, gli aironi! Vabbè che il Po è a due passi da qui, ma... Non ti sembra di essere dentro *Ossessione*, tu che ami tanto il cinema? Incredibile! Sei a quindici chilometri da Rimini e a cinquant'anni dal Duemila! Pazzesco.

Una coppia di aironi cinerini si levava in volo lungo il sentiero che impegnava allo spasimo la Range Rover messa a disposizione per la circostanza dall'insospettabile agente Ippoliti: insospettabile perché, a onta dell'aria imperturbabile e a tratti vagamente ebetoide, *ferrarista* di antica data e amico personale, si diceva, di Schumacher.

Un mezzo mattino cupo, freddo, tracce di foschia che intimidivano un esile solicello, e una litoranea deserta che s'erano lasciati alle spalle imboccando la deviazione segnata sulla cartina che li aveva immessi su quell'angusto sentiero. Dappertutto, l'odore penetrante del vicino fiume, altri uccelli dal volo radente e inquieto, la completa assenza di qualunque presenza umana.

– Ehi, una starna! Ma questo è il paradiso dei cacciatori... peccato che qui sia tutto vietato. Cioè, peccato... è giusto, no? La ripopolazione, il rispetto della natura, ma quando il mio babbo si alzava all'alba e legava i cani, preparava i fucili e il carniere, e la mamma mugolava incazzatissima perché «ogni santa domenica che Dio manda in terra, ma proprio tutte tutte...», be', che ti devo dire, Matteo, quegli odori... l'odore del cane soprattutto, era cosí invitante... Sai che mi alzavo apposta per salutarlo? E guai a dire «buona caccia!» Mi sarebbe piaciuto tanto andare con lui, ma diceva che ero troppo piccino...

Roberto non la finiva piú di ciacolare. Matteo guidava, impenetrabile al fascino di quella Romagna interna, minore e selvaggia. Stava cercando di raggiungere il giusto punto di fuga: andarsene da un'altra parte, lasciar vagare le onde periferiche della mente, e poi tornare, riorganizzare con la ragione, ritirare la rete.

– Oh, dev'essere quella.

Sí, era quella. C'era persino un vecchio cartello di legno smangiucchiato dipinto di rosso che recava ancora tracce della scritta COLONIA ARCOBALENO. Qualcuno si era divertito a ingentilire le O di connotazioni falliche.

– Ma è sulla via provinciale. Quello stronzo di archivista ci ha fatto perdere un'ora e la colonia è sulla provinciale!

Almeno due edifici stile caserma, bianchi, lunghi, vetrosi. Cemento e fortore fluviale, un piazzale di sosta, vento e gabbiani, e, al centro, quella che il rapporto definiva *Torre Piacentini*: quasi un fungo, come se un tempo avessero deciso di costruirci un aeroporto e da lí si dovessero controllare chissà quali aeroplani. Ma la colonia, dicevano le note che Roberto si era procurato con solerzia all'alba, era stata inaugurata nel 1939, *rectius*, anno XVII dell'Era Fascista, da S. E. il cavalier Benito Mussolini in persona, uno di queste parti, d'altronde, e nessuno aveva mai pensato di mandarci i gloriosi avieri del Regno. Quello era territorio dell'infanzia povera. Per Matteo, aria di casa.

– Una volta qui doveva essere un bel posto, un po' isolato, ma per i bambini doveva essere un paradiso.

Strutture funzionaliste, ispirate a criteri, per l'epoca, d'avanguardia. Robustezza e ariosità. Sulla facciata principale l'impronta di un medaglione con le tracce di un'aquila imperiale. Terra sporca, intorno, ma spazi aperti a vista d'occhio. Un tempo, i campi dovevano aver circondato rigogliosi lo svago controllato dei piccoli balilla. Tutto questo aveva funzionato sino al '72. Poi un hippie balordo aveva deciso che era venuto il momento di dire basta. Segno dei tempi? Comunque, sempre piú una storia di orfani, dopo tutto.

– Ci ho passato due estati in colonia. Sai, Matteo, non ci si stava mica male, eh?

Lasciarono il fuoristrada ai margini del piazzale e avanzarono verso la torre a fungo, diretti al cupo buco nero dell'ingresso.

Roberto si guardava continuamente intorno, come se cercasse di rallentare l'appuntamento ineluttabile.

– Matteo, ma tu ci credi che questo posto porta sfiga?

Matteo non rispose. Davanti al buco nero, Roberto si fece il segno della croce.

Matteo scostò la porta scardinata. Accesero due lampade da tasca. Entrarono.

Sole che filtra dai vetri schiantati delle finestre, spade di luce che guidano la danza sospesa nell'aria del pulviscolo polveroso, il soffitto, inverosimilmente alto e irraggiungibile, gremito di ragnatele. Sfacelo, puzza, umidità, anni di scritte che, a studiarle, ci si poteva tirar fuori la controstoria dell'emarginazione adriatica, sedie e tavoli rovesciati, un materasso matrimoniale, Kleenex stropicciati, gli avanzi di un fuoco.

– Bell'ambientino! Meno male che ci siamo venuti di giorno!

Matteo puntò la torcia sui resti di una cassa acustica. Sormontavano una pedana tarlata. Roberto lo vide avanzare, la testa incassata nelle spalle, perso in chissà quali fantasticherie.

È stata una bella festa. I bambini, eccitatissimi, non volevano saperne di andare a letto. La sala comune si è finalmente svuotata. Annalisa è ancora qui, e non ha spento gli impianti. Sta ascoltando la sua canzone preferita, *Silence*. Un brano psichedelico, roba poco adatta ai bambini e alle loro povere famiglie. Ma ora che è sola, chi può impedirle di prendersi una pausa? E una pillola... no, Lsd... com'è che si chiamavano? Basi! Una base di acido lisergico, un piccolo triangolino di carta rosa, o una stellina bianca... per il viaggio... trip, lo chiamavano... Nell'aria c'è odore d'incenso. Forse è stata lei ad accendere il bastoncino. Lui lo sente dappertutto, quell'odore. Continua a sentirlo anche quando le si avvicina... Vuole fare l'amore? Lei lo respinge? Gli dice una frase sbagliata? Lo insulta? Lo offende? Lui le salta addosso. La sua stretta d'acciaio... Lei cerca di difendersi, ma la sua furia è incontrollabile. La uccide. No, non subito. Prima la stordisce. Infierisce su di lei. Una, due, dieci volte. Finché lei non è soltanto una cosa. Resta a guardarla. Lentamente s'insinua dentro di lui la consapevolezza del gesto. È la sua prima volta. Ma non sente angoscia, disperazione, senso di colpa. No, è qualcosa di diverso che sente: piacere. Quel corpo spento gli dà piacere. Una scarica di piacere che non ha mai provato in tutta la sua vita. È per questo che sono dunque venuto al mondo, si chiede? E la risposta è lí, davanti a lui. La risposta è Annalisa. Sí, sí, ecco perché esisto. Ecco che cosa mi darà la forza di continuare a esistere... Vuole fissare quell'istante supremo, irripetibile. Sa già che lo ripeterà altre volte. Sarà costretto a ripeterlo. Per vivere. Per sopravvivere. Si avvicina senza fretta al giradischi, rimette dall'inizio quel brano dei Flying Objects. *Silence*: d'ora in avanti sarà la sua musica.

E poi, come dal nulla, compare il bambino. È piccolo, spaurito, non ha piú di sei anni. Si conoscono già? Chi può saperlo. Ciò che conta, ora, è il suo terrore, il suo sguardo che vaga intorno prima di posarsi sul corpo inanimato della madre... Potrebbe disfarsi anche del bambino, ma non ne proverebbe nessun piacere. Nessuna utilità, quindi. È un uomo, non un mostro. Non dimenticarlo, Matteo. È soltanto un uomo che ha scoperto la sua strada... Si avvicina al bambino, lo prende per mano, gli dice paroline dolci, lo allontana da quell'orrore. La musica suona, suona, suona...

– Matteo! Matteo, cazzo!

Il volto pallido e sudato di Roberto. Il suo tremore incontrollabile. Lo aveva afferrato per le braccia, si aggrappava a lui, scuotendolo. La musica suona, suona...

– La musica, Matteo, la musica...

La musica. *Silence.* Qualcuno stava suonando *Silence.* In quel momento, nella colonia. No. Fuori dalla colonia. Matteo si liberò di Roberto e impugnò la pistola, precipitandosi verso l'uscita. La musica cresceva d'intensità. Veniva dalla Range Rover. Lo sportello lato passeggero era spalancato. L'avevano lasciato loro cosí?

– Attento!

Il grido di Roberto, alle sue spalle. D'istinto si gettò per terra, rotolò su se stesso, puntò la Beretta verso il fuoristrada. Ma non c'erano che cemento e gabbiani, tutt'intorno.

Si rialzò e fece cenno a Roberto di seguirlo. Raggiunsero l'automobile. Lo stereo era in funzione, a tutto volume. Matteo pigiò un pulsante e la musica tacque. Estrasse la cassetta e la passò all'amico. Lui li aveva seguiti. *Silence* era il suo messaggio. Sapeva che sapevano.

– Ma chi cazzo è uno cosí? Chi è?

L'urlo di Roberto, incapace di dominarsi. Matteo gli cinse le spalle.

– Un uomo. Come te e me.

Fu solo sulla via del ritorno che Roberto gli mostrò i resti del bastoncino d'incenso. Li aveva recuperati, disse, frugando sotto la pedana. Ora Prosperi si sarebbe convinto, aggiunse. Matteo non commentò: la prova che cercavano gliel'aveva già fornita il Figlio dei fiori con la sua bravata.

Qualcuno potrebbe definirla una bravata, ma quanto a me sono disposto unicamente ad ammettere di aver ceduto a un sussulto di senso estetico. Ho fatto una cosa che mi sembrava non giusta né utile, ma bella. *Sono anche disposto a sopportare le prevedibili critiche: ma come! Hai appena finito di tuonare contro la bellezza ed ecco che... suvvia, un po' di elasticità! Un po' di benevolenza per un uomo che, come me, annaspa nell'impero del brutto e del disordinato con la dolorosa consapevolezza di essere l'unico a reggere il pesante fardello del Giusto Ritmo! E poi, l'occasione era fin troppo ghiotta! E... non per accampare scuse delle quali non avverto la minima necessità... non vorrei fosse sottovalutato il valore di messaggio che, peraltro, il destinatario non avrà mancato di cogliere.*

A proposito di messaggio: presto ne arriverà un altro, ben piú diretto e inequivocabile. I suoi effetti saranno sconvolgenti. Per la verità, sono un po' seccato di dover agire con cosí tanto anticipo sui tempi preordinati. Ma l'imprevisto, che gioca sempre un ruolo decisivo nelle vicende umane, ha questa volta deciso per me. Qui non si tratta di un'occasione troppo ghiotta da non poter essere abbandonata: qui si tratta, tout court, *di non perdere l'ultima occasione.*

Quando l'altra notte sono entrato in casa sua, non immaginavo di dover intervenire cosí presto. C'ero andato per un sopralluogo, per cosí dire, di routine: quando l'azione è decisa, occorre informarsi di ogni piú piccolo dettaglio. Ho letto una volta le memorie di un terrorista.

Quest'uomo votato al male (perché asservito a una falsa fede) raccontava di come un agguato, minuziosamente preparato per mesi, fosse stato rimandato sine die, *e poi definitivamente annullato, unicamente perché, la mattina stabilita per l'esecuzione, il capo del commando si era accorto di un significativo particolare: il bersaglio, persona dalla leggendaria abitudinarietà, invece di consumare la colazione nel solito bar sotto casa, aveva percorso quindici metri in piú per concedersi la trasgressione di un trancio di pizza con la mortadella.*

Bastava modificare di pochi metri anche il luogo dell'agguato, e tutto sarebbe filato liscio. Ma il capo decise diversamente.

E la vittima (odio questa parola che puzza di moralismo d'accatto, ma sono costretto, dato il contesto, a servirmene) non seppe mai di dovere la vita all'umile salume tanto popolare da queste parti e a un meschino peccato di gola.

Quel terrorista mancò di elasticità mentale: segno che la sua fe-

de era veramente fasulla. Un simile insignificante dettaglio non avrebbe mai distolto dall'azione uno come me. Perché io so interpretare i segni e adeguarli alla bisogna. Come ci riesco? Mah, mi viene spontaneo: in certi momenti, è come se fossi da un'altra parte... io mi spengo, cesso di esistere, e il Giusto Ritmo prende il controllo delle operazioni.

Cosí quando, ascoltando la sua segreteria telefonica, ho capito che se non avessi agito entro 48 ore non avrei mai piú potuto agire, ho immediatamente modificato il piano originario.

Ed eccomi qui, in questo loft ipermodernista, immerso nell'oscurità elettrica della sera, intento a carezzare un grasso gatto tigrato che non mi lesina il concerto delle sue fusa, smentita vivente delle cattive pellicole che vogliono l'animale domestico sensibile e reattivo al cospetto dell'incursione del nemico esterno. Sono bastate una mezza busta di fegatini e il giusto tono di voce per vincere ogni diffidenza. Ma a giudicare dalla condiscendente affettuosità che mi manifesta, potrei anche supporre che questo gatto altro non sia che un avatar, *un messaggero divino incaricato di recare conforto alla mia missione.*

Ma bando alle chiacchiere. Una chiave gira nella toppa. Una lama di luce saetta sul parquet. Una voce chiama: «Jonathan? Jonathan, dove sei, amore mio?» Il gatto mi sguscia via tra le dita e va a strofinarsi contro due gambe in jeans.

Scarpe da tennis volano, prima l'una poi l'altra, atterrando quasi ai miei piedi. Aziono il telecomando del Cd e le prime note di Silence *invadono la stanza. La modella lascia cadere un vasetto di yogurt e trasale, investita da un'ondata di terrore. Dovrò trovare il modo di dirle che l'assenza di trucco le dona. Ah, se avesse saputo rinunciare in tempo ai falsi, luccicanti orpelli che distolgono dal Giusto Ritmo! Il gatto balza sul divano. Scosto la tenda e mi presento con un inchino.*

– Mi chiamano il Figlio dei fiori.

Il suo urlo? Musica divina!

Sulla soglia dell'ufficio di Prosperi, Matteo si scontrò con Mirella. La ragazza lo salutò con un rapido cenno del capo, Pri-

ma che si dileguasse nel corridoio percorso dalla consueta ani-
mazione di poliziotti e funzionari, Matteo notò le guance im-
porporate e gli occhi accesi.

– Entra, – disse Prosperi.

Il vicequestore, avvinghiato al solito sigaro, sembrava piú
vecchio di dieci anni. Con un gesto stanco e un sospiro che non
lasciava presagire niente di buono, lo invitò a sedere.

– Dov'è Fernandez?

– A casa. Chiaretta, la bambina, non sta bene, e allora...

– Figli, – interruppe brusco Prosperi, – ti fai a pezzi per loro, e poi...

– Problemi con Mirella?

– È incinta.

– Con quel...

– Già. Con quello. Si sposano tra due mesi. A proposito, siete tutti invitati alla cerimonia.

Matteo si schiarí la voce e decise di affrontare l'argomento.

– Senti, forse non è il momento piú opportuno, ma c'è una
cosa che devi sapere. Stamattina Roberto e io...

Prosperi lo bloccò con cenno deciso.

– La Rubino mi ha portato i risultati delle indagini su D'Ottavi che *tu* le avevi chiesto.

– Sí, l'ho fatto perché...

– Lasciami finire. Il giorno in cui è stata uccisa Francesca
Maltese, D'Ottavi era a Zagabria. A mille chilometri da qui.
Faceva l'interprete in una conferenza. Avevi ragione anche que-
sta volta. Non è lui il Figlio dei fiori.

Matteo non disse una sola parola. Prosperi lo ringraziò per
la sua signorilità.

In serata, durante la riunione operativa alla quale il vicequestore aveva invitato anche Anna De Angelis, Matteo spiegò la
sua teoria: nel 1972 qualcuno, probabilmente Alessandro Bertocchi, uccide la madre di D'Ottavi. D'Ottavi, sei anni, assiste al
delitto. Bertocchi lo risparmia. In seguito i due s'incontrano. Bertocchi non ha mai smesso di uccidere. È lui il Figlio dei fiori.

Roberto, che non sembrava essersi completamente ripreso

dallo choc della mattina, osservò che, secondo i rilievi ufficiali, Bertocchi era morto nell'incendio della sua macchina.

– Potrebbe non essere lui la vittima, – obbiettò Matteo. – In ogni caso, è la pista piú logica che abbiamo. Oltre che l'unica!

Prosperi chiese se poteva servire una riesumazione dei resti. Anna rispose che era perfettamente inutile: ammesso che ci fosse ancora qualcosa di significativo, dopo tanto tempo, non avrebbero saputo con che cosa confrontarlo.

Matteo mostrò la fotografia di Bertocchi prelevata dal fascicolo d'archivio.

Tutti la guardarono, scuotendo la testa. Che se ne facevano di una foto vecchia di trent'anni? L'agente Ippoliti ebbe la pessima idea di suggerire che forse, se ne avessero avuta una piú recente... Prosperi ne approfittò per scaricare un po' di livore sull'anello debole della compagnia.

– Adesso gli telefono e gli chiedo di mandarcene un paio, eh, Ippoliti?

Tutti risero, se non altro per stemperare una tensione che si stava facendo insopportabile.

Roberto, prendendo tutti in contropiede, andò a baciare Ippoliti sulla fronte.

– Ippo, sei un genio! Una foto recente? Possiamo averla!

Mentre Prosperi si portava una mano alla tempia, nel gesto universale dei pazzi, Roberto si era precipitato al Pc, seguito da Anna e da Matteo.

– State a sentire, capre! Punto primo: scannerizzare l'immagine. Punto secondo: selezionare la porzione che ci interessa, cioè la bella faccia del nostro Bertocchi... fatto...

Anche Prosperi si era avvicinato, e cosí la Rubino e Ippoliti, e tutti fissavano affascinati le dita di Roberto che giostravano abilmente tra mouse e tastiera.

– Punto terzo: si lancia un programmino nuovo nuovo che si chiama Morphing Plus e, punto quarto, si inseriscono le coordinate. Se è ancora vivo oggi Bertocchi avrà...

– Cinquantotto anni, – disse Matteo.

– Cinquantotto anni, peso?

– Metti... settantacinque chili.

– Sicuro?

– È pure muscoloso. Segni particolari nessuno, capelli corti, grigi, un po' piú stempiato magari...

Sul lato destro dello schermo un display mostrava una colonna di cifre in costante progressione: 35 - 37 - 40 - 42 - 45... sul lato sinistro, il volto di Bertocchi che si modificava a ogni successivo incremento di età... 48 - 50 - 52 - 53 - 55...

– E cinquantotto! Voilà: la foto recente del signor Alessandro Bertocchi!

– Stampa! – ordinò Prosperi.

Anche questa foto passò di mano in mano. A Matteo quel volto artificiale parve oltretutto artificioso: non foss'altro perché a quegli occhi composti da milioni di pixel mancava qualunque tipo di espressione. Non erano sicuramente i suoi occhi: poteva somigliare in tutto e per tutto all'identikit, ma lui aveva altri occhi. Doveva avere altri occhi.

– È un perfetto sconosciuto!

Ippoliti, come al solito, si era fatto portavoce dell'opinione comune. E come al solito Prosperi non aveva mancato di mandarlo al diavolo con una battuta feroce. Ma a Matteo le parole dell'agente tonto avevano ricordato una poesia letta tanti anni prima. Parlava di Adolf Eichmann, il nazista che aveva organizzato le camere a gas. Diceva piú o meno cosí:

Occhi: medi; capelli: medi; peso: medio; altezza: media; segni particolari: nessuno; dita delle mani: dieci; dita dei piedi: dieci; intelligenza: media; che vi aspettavate? Artigli? Incisivi fuori misura? Saliva verde? Follia?

Piú tardi, quasi a notte fonda, si sciolsero. Prosperi propose una bevuta collettiva di *riflessione*, ricevendone una serie di piú o meno educati rifiuti: si andava dall'emicrania della Rubino al GP del Brasile in diretta Tv di Ippoliti, dalla malattia della piccola Chiaretta all'urgentissimo impegno di Anna.

– Quale urgentissimo impegno? – le aveva chiesto Matteo,

che aveva sperato di riprendere il discorso interrotto dal suicidio di D'Ottavi.

– Uno a cui non posso rinunciare, – aveva risposto, ambiguamente, la dottoressa.

Matteo non poté fare a meno di provare una punta di delusione. Anche perché, privo di valide scuse, fu costretto ad accettare l'invito di Prosperi.

Il vicequestore gli fece conoscere una bettola nell'Abissinia dove vecchi operai in pensione tiravano l'alba sacramentando a briscola, e lo intrattenne per la durata di un'intera boccia di Sangiovese discettando della *Rimini oscura* di un tempo: cronache di vecchi delitti dimenticati la cui peggiore efferatezza si spingeva al soffocamento di una moglie fedifraga.

– Sai cos'è che mi manda in bestia, Matteo?

– A quante risposte ho diritto?

– Là fuori la porca fottuta umanità se la gode. Noi qui ci sbattiamo per catturare quel disgraziato. Se non lo prendiamo, saremo crocifissi. Se lo prendiamo, avremo solo fatto il nostro dovere. Non c'è qualche cosa di profondamente distorto, in tutto questo?

– Abbiamo il dovere di prenderlo.

– Il dovere non c'entra.

– E cosa, allora?

– Ho pensato che la prossima potrebbe essere Mirella.

7

Questa volta i primi a intervenire erano stati i caramba del reparto operativo, allertati alle 7.35 dalla telefonata al 112 di una voce maschile rotta dal pianto. Per un puro caso l'ufficiale di turno era il maggiore Cataldo, un pugliese panciuto con la barba sale e pepe, gran fumatore di sigaro e amico personale di Prosperi.

Gli fu sufficiente vedere il corpo, valutare il numero e le modalità delle ferite, annusare l'odore dolciastro che lo condusse diritto al portacenere, la riproduzione di una delle famose civette di Picasso, constatare la presenza dei resti di tre bastoncini d'incenso rosso, per capire che quella era opera del Figlio dei fiori.

Prosperi giunse sul posto mezz'ora dopo. Con lui c'erano la dottoressa De Angelis, Roberto e una squadra della Scientifica. Cataldo passò il caso alla PS garantendo il già raggiunto accordo con il procuratore della Repubblica. Una volta risolto il problema di competenza, si congedò da Prosperi con un consolatorio «non vorrei essere nei tuoi panni» e il dono di un Montecristo che, in capo a dieci minuti, era già stato metabolizzato dai voraci polmoni del vicequestore.

Matteo fu rintracciato soltanto verso le undici, di ritorno da un'ora di corsa sulla spiaggia con l'accompagnamento della colonna sonora di *Million Dollar Hotel*.

Quando finalmente, a bordo di un'auto di servizio, riuscí a raggiungere località Coriano di Rimini, il fotografo aveva quasi completato i rilievi, mentre i tecnici delle impronte stavano passando sui mobili lo spray per l'evidenziazione delle papillari latenti.

Prosperi parlava al telefono con qualcuno: dalla deferenza, che faticava a mascherare la voglia di spedire al diavolo l'interlocutore, Matteo comprese che doveva trattarsi di una qualche autorità.

Anna era vicina al corpo: giaceva supino di traverso a un divano-letto che sembrava trapiantato da una rivista d'architettura. Come del resto l'arredo, notò Matteo, freddo, tutto giocato sul bianco & nero, qua e là impreziosito da una scultura glamour o da un pannello con foto d'autore di un unico soggetto: una ragazza slanciata, dalle labbra sensuali, lo sguardo un po' vacuo, una magrezza da copertina stile *heroin-chic*.

– Si chiamava Stefania Andreasi, – disse Roberto, sopraggiungendo con alcuni foglietti di appunti. – Ventitre anni, modella, aspirante attrice: qualche particina in commedie all'italiana e due scene nel *Godot* di una compagnia sperimentale. Convivente con Gianni Brizzi, fotografo di moda. È lui che ha scoperto il corpo. L'hanno portato in ospedale, è sotto choc. Un vicino ha sentito la solita musica ieri sera attorno alle... boh, poco dopo mezzanotte. Poi è uscito. Quando è rientrato, verso le quattro, quattro e trenta, tutto era immerso nel silenzio, Le portefinestre sono intatte. Secondo me lui era dentro quando lei è rientrata. Possibile che si fosse procurato un calco della chiave, la serratura non è blindata. Ah, ultimo particolare: le ha rovesciato addosso la lettiera del gatto.

Il gatto... Matteo si guardò intorno. Il gatto sonnecchiava sul bracciolo di una poltrona ergonomica, indifferente all'invasione degli sconosciuti.

– Morte per dissanguamento,– stava dicendo Anna.

Matteo si chinò sul corpo. Stefania era ancora piú magra di come appariva nei ritratti fotografici. E dei suoi vacui occhi scuri non restavano che due profondi buchi neri incrostati di sangue.

– Le ha sfondato i globi e poi glieli ha strappati via, – proseguí Anna.

Prosperi li inondò tutti di fumo.

– Ventitre anni... la stessa età di Mirella. E naturalmente, nemmeno un'impronta. Ho fatto stampare cento copie dell'identikit di quel Bertocchi. Adesso lo facciamo vedere ai vicini.

Stanchezza, disperazione. Ma non poteva abbandonare. Doveva fotterlo, quell'assassino.

Matteo pensò che, paradossalmente, si trovava nelle condizioni ideali per lavorare. Nessuno ora lo stava piú mettendo alla prova. Nessuno considerava piú un'intrusione il suo arrivo improvviso a Rimini. Ora si guardava a lui come all'ultima speranza. Toccava a lui non deluderli. Qualcosa da dimostrare c'era pur sempre: che lo si poteva fermare, il Figlio dei fiori.

Si mise a gironzolare per l'appartamento. I bastoncini d'incenso erano già stati inseriti in una busta di plastica e spillati con un tagliandino numerato. La casa era tappezzata di manifesti di Stefania: Stefania al mare, Stefania a una sfilata, Stefania che accarezza il gatto, Stefania con le braccia incrociate sul seno in atteggiamento sexy (era la pubblicità di un paio di jeans sfrangiati a mezza coscia), Stefania pudica collegiale per una collezione di biancheria intima «I tuoi sedici anni».

Lo sguardo gli cadde sulla segreteria telefonica. Distrattamente, schiacciò il pulsante del replay. Una voce femminile, roca e impostata disse: «Salve, sono Stefania, non sono in casa o non posso rispondere, lasciate un messaggio, vi richiamerò appena possibile, grazie». Segnale acustico. *Clic.* Voce maschile, concitata: «Stefi, sono Gianni, amore, scusa ma sono in autostrada e vado di fretta. Allora per la tournée in Sudafrica è tutto okay, passo a prenderti dopodomani mattina con i biglietti, i primi due mesi siamo a Johannesburg, poi si va in quella fattoria per il film con gli americani. Se va bene, è pronto il contratto a Hollywood. Uao! E poi, vaffanculo Italia! Ciao, amore, e non dormire troppo, sennò poi in aereo stai con gli occhi sbarrati...»

Ah, era cosí, dunque, temeva che gli sfuggisse, quindi aveva accorciato i tempi, ma perché? Se aveva avuto la pazienza di attendere che Francesca Maltese tornasse a Rimini per un solo pomeriggio, perché tutta questa fretta?

Tornò sul luogo del delitto. Davanti al divano-letto, un tavolo ovale. Una sedia girata, la spalliera contro il tavolo. Fron-

te al cadavere. Ippoliti gli assicurò che non era stato spostato
nemmeno uno spillo. Tutto era come al momento del rientro a
casa del fotografo-fidanzato.

L'ha scoperta, individuata, studiata. È entrato nella sua casa. Ha colpito. È rimasto seduto a osservarla, qui, su questa sedia, di fronte a lei. Per godersi a fondo la sua agonia. L'odiava.
Le odia tutte. Con ogni grammo della sua energia. È un uomo
che ha una grande energia.

Che cosa sarebbe potuto diventare, se non si fosse votato al
male? Perché ha scelto lei? Perché quest'odio? Prima o poi riu-
scirò a dare una risposta a questo interrogativo: il piú importante. Ma questa fretta. Appena ieri ci ha lanciato un messaggio, alla colonia, e oggi ci ha lanciato, o mi ha lanciato un messaggio? Sono stato io a innescare tutta questa catena.

Il mio arrivo a Rimini ha fatto da detonatore. La conferenza
stampa ha mandato D'Ottavi fuori di testa. Adesso lui... è me
che vuole, la mia attenzione. Se lanciassi un messaggio a mia volta? Se gli mettessi a disposizione una linea privata? Verrebbe allo scoperto? Che cosa sta cercando di dirmi? Poteva restarsene
tranquillo per mesi, per anni. Che cosa sta cercando di dirmi?

– Il fidanzato non si è ancora ripreso, – disse Roberto, che
aveva appena parlato con l'ospedale. – È sotto sedativi. Secondo me, non se ne parla sino al pomeriggio.

– Se siete d'accordo, – s'inserí lucida Anna, – potrei procedere subito all'autopsia.

*Continuo a credere, sono fermamente convinto che la decisio-
ne di agire rapidamente non sia stata uno sbaglio. Per un certo verso, tuttavia, una maggiore disponibilità di tempo mi avrebbe aiutato a rifinire con maggiore precisione alcuni dettagli. Comunque, il
dado è tratto.*

*D'altronde, una grande pace interiore mi invade, quale non pro-
vavo da piú di trent'anni. Sento che il momento dell'appagamen-
to è prossimo.*

La mia missione, beninteso, non è affatto compiuta: mi sono prefisso un compito che non può avere una fine e che mi fu assegnato nella notte dei tempi. Ma l'età incalza, e presto le forze verranno meno. Eppure, quell'ansia della trasmissione, quella necessità fissata nella sacra Legge dei Padri di tramandare il proprio compito a un degno eletto si è venuta placando a mano a mano che procedevo nella sua conoscenza. Ora so con certezza di non essermi sbagliato. Ora so che il ramo non fu sterile. Ora so che il frutto attende, ancora inconsapevole, di portare a termine la maturazione della quale già presente il frenetico svilupparsi. Qualcuno, il mio Parsifal, s'incaricherà di continuare l'opera. Ciò che non riuscii a fare di G. mi riuscirà con lui: lo plasmerò a mia immagine e somiglianza, ed egli mi comprenderà, accetterà, seguirà.

Bene. È giunto il momento di mettere a punto un progetto che tenga conto dei dettagli. Dal più importante, la mia salvaguardia personale, al più trascurabile: egli ancora non sa di sapere.

Sono determinato a procedere alla cancellazione del Figlio dei fiori. Bisognerà ripartire da una nuova direzione, con un nuovo slancio vitale. Altrove, lontano da questa libidinosa costa che soltanto in parte sono riuscito a ripulire della sua stratificata lordura.

Occultare, prima, e subito dopo motivare: questi i passi. Quando sarò al sicuro, nell'isola che ho scelto durante un lontano viaggio, l'unico che mi concessi dopo avere sperimentato il sacro fuoco del castigo che ero stato prescelto per somministrare, farò in modo che egli mi raggiunga. E colà avverrà la definitiva riconciliazione. Il Padre e il Figlio saranno l'Uno. L'Unità al servizio della Legge dei Padri. E il Giusto Ritmo sarà la nostra comune, paradisiaca melodia.

Non mi servono che quattro giorni per provvedere in modo esaustivo alle necessità materiali. Quattro miseri giorni...

L'autopsia confermò che nell'uccisione di Stefania Andreasi ricorreva, perfettamente ripetuto, il *modus operandi* del Figlio dei fiori. Comparivano piccoli segni di agopuntura alla base del collo. L'analisi sierologica avrebbe confermato l'impiego della paracodina. La ragazza era stata torturata quando era ancora in vita. L'assassino si era accanito sugli occhi. Prosperi, Matteo e Ippoliti avevano lasciato Anna ancora al lavoro nella *morgue*, diretti alla Centrale per l'ennesima riunione operativa. Ippoliti guidava concentrato. Matteo rimuginava su un dettaglio del quale intuiva l'importanza, ma che non riusciva ancora a inquadrare perfettamente.

Tutte le vittime avevano subito una punizione. E in tutti i casi l'assassino aveva preso di mira una certa parte del corpo: in un caso i piedi, in un altro i polmoni, ora gli occhi. Le stesse modalità, ma venivano scelti organi sempre diversi. Perché? La chiave di tutto stava lí. Aveva un bel dire Prosperi, affezionato alla teoria rassicurante del *pazzo*, che le sue erano azioni senza senso. Un senso c'era, invece, eccome! Ma quale?

– Ferma, Ippo, sono rimasto senza sigari, – ordinò Prosperi.

– Ah, ecco perché per una volta si respirava aria buona! – commentò Ippoliti. Il vicequestore non si degnò di rispondere e si infilò nel bar-tabacchi di via Ugo Foscolo. Rientrò in macchina dopo nemmeno due minuti, già circondato da una nube di fumo.

– Ehi, capo, questi puzzano di meno, – osservò Ippoliti, per ingraziarselo.

– Sono all'anisetta, ma li ho presi solo perché avevano finito quelli veri. Di' un po', Matteo, è vero che sei nato in un albergo?

– Sí. Si chiamava Faro d'Oriente... Ma tu come fai a saperlo?

– Me l'ha detto Anna. Mi ha anche detto che pensavi di essere senza padre e poi ne hai trovato uno qui a Rimini.

– Quanto mi piace la dottoressa De Angelis! – interloquí Ippoliti.

– Frena, ragazzo! – disse Prosperi. – Ho l'impressione che il suo tipo sia un altro.

– Ah, sí? E che tipo?

– Bah, direi il tipo del poliziotto-scienziato, un po' fosco, aitante, quello che manda al diavolo i superiori e non ha nessun rispetto per l'autorità. Insomma, uno bravo, bello e... gran rompiballe!

– Vorrei proprio conoscerlo, uno cosí! – concluse Ippoliti.

Prosperi e Matteo si guardarono un istante, poi scoppiarono a ridere all'unisono. Il cellulare di Matteo squillò. Era Roberto: il fidanzato di Stefania era stato dimesso. Li aspettava a casa. Matteo assicurò che sarebbero stati sul posto in meno di dieci minuti.

– Fermati!

L'urlo di Prosperi colse di sorpresa Ippoliti, che inchiodò bruscamente. Matteo fu sbattuto contro il sedile anteriore. Il vicequestore, spalancata la portiera, si catapultò sbraitando in strada.

Matteo lo seguí meccanicamente, mentre Ippoliti gli urlava dietro: – Devo chiamare soccorso?

– Prosperi, che diavolo ti ha preso?

Ma Prosperi non lo stava a sentire. Scansava con ampi gesti le auto che sopraggiungevano strombazzando, diretto dall'altro lato della strada, dove un ragazzo si stava accanendo a calci e pugni contro qualcuno. Una ragazza. Una ragazza in trench bianco che si riparava il volto mentre una gragnuola impietosa di colpi si abbatteva su di lei. Quattro o cinque giovinastri si godevano la scena fumando indifferenti.

La ragazza era Mirella. Il picchiatore Rolando, il padre del suo bambino.

– Io ti rovino, stronzo!

Prosperi gli era arrivato alle spalle come una furia, e con una spinta violenta l'aveva sbattuto contro la saracinesca di un magazzino chiuso. Poi l'aveva rivoltato e sollevato da terra per il bavero. I ragazzotti si erano disposti a semicerchio intorno ai due contendenti.

Ma non c'era partita: Prosperi picchiava metodicamente, un colpo al fianco e uno al volto, uno al fianco e uno al volto, mentre una collera selvaggia gli alterava i lineamenti.

– No, papà, fermati, ti prego!

Mirella si era rialzata, sorretta da Matteo, che si era precipitato ad aiutarla. Aveva il volto rigato di lacrime e un occhio nero. Ma Prosperi non se ne dette per inteso. Continuava a colpire. Ora Rolando era scivolato a terra, e Prosperi passò ai calci.

– Li fermi! Si ammazzano!

Matteo si mosse, seguito dalle occhiate di disapprovazione del pubblico. Intanto, una volante stava frenando accanto all'auto di Ippoliti.

– Lascialo stare, ha capito la lezione.

Nel sentirsi tirar via per le spalle, Prosperi si voltò, il volto deformato dalla rabbia.

– Ah, sei tu? Be', vedi per una volta di farti i cazzi tuoi!

Matteo lo cinturò dalle spalle. Prosperi si divincolò e fece per allentargli un cazzottone. Matteo schivò e poi affondò un destro preciso alla bocca dello stomaco. Prosperi si piegò in due. Il ragazzo ne approfittò per darsela rapidamente a gambe. Ippoliti, dal suo canto, aveva sagacemente mandato via la volante, che ripartí sgommando. Matteo si voltò verso Mirella.

– Vada da lui…

Prosperi respinse l'aiuto della figlia e si accostò barcollando a Matteo.

– Grazie, – sospirò, tendendogli la mano.

– Siamo pari, – disse Matteo, stringendola con calore. – Adesso io vado a interrogare il fotografo, e tu ti fai due chiacchiere con tua figlia.

Lo studio fotografico era un grande stanzone bianco al piano superiore del loft di Stefania Andreasi. Sulle pareti, gigantografie di modelle e foto di safari. Gianni Brizzi aveva qualche capello bianco e le guance scavate dal dolore.

– Non riesco a capire… lei era cosí dolce, tutti le volevano bene… non succede spesso nel nostro ambiente, sa? Dovevamo partire stamattina, alle undici, per il Sudafrica…

Matteo non ebbe il coraggio di dirgli che probabilmente proprio quella partenza aveva spinto l'assassino ad agire.

Si limitò a mostrargli l'identikit invecchiato di Alessandro Bertocchi. Il fotografo scosse il capo: mai visto né conosciuto. Roberto chiese se la ragazza aveva parenti.

– Solo il padre. Ma ultimamente i rapporti si erano raffreddati.

– Perché?

– Lui non le perdonava di averlo messo nella casa di riposo...
– Quale casa di riposo?
– La Giovanni Pascoli, qui vicino. Perché?
– Matteo, ma è la stessa di...

L'urlo di Roberto. Nella casa di riposo Giovanni Pascoli era internato il padre di Francesca Maltese. Tossiva. La donna aveva i polmoni sfondati. Era questo il senso della risonanza! L'informazione segreta che aveva confinato nella periferia del cervello, l'aveva avuta sotto gli occhi sin dall'inizio, ma non aveva capito... eppure, a casa di D'Ottavi, davanti alle fotografie, c'era andato vicinissimo, poi qualcosa l'aveva deviato... il padre... ma non era una deviazione, era la stessa informazione... sdoppiata, magari, o letta da un altro versante... il versante del padre... quello del figlio...

Dopo, tutto procedette con una rapidità persino furiosa.
Portarono il fotografo alla Pascoli e si fecero scortare dal padre di Stefania. Prima ancora di vedere quel vecchio alto e segaligno, Matteo ne aveva sentiti i passi ritmici sull'impiantito. Il signor Andreasi. Cieco!

Il padre di Francesca tossisce: i polmoni. Il padre di Stefania è cieco: gli occhi. Bisogna cercare la conferma nelle altre, ma il disegno... il disegno è chiaro. E tutto parte da qui, da questa casa di riposo. C'ero sin dall'inizio, maledizione, e non ho saputo vedere...

– I padri come i figli, Roberto! Lui la chiama *legge dei padri*, ma è la *legge del contrappasso*. Va' in centrale, controlla le altre vittime, convoca tutti, io ti raggiungo appena possibile...

Piantato in asso Roberto, si fece indicare l'ufficio del direttore e vi fece irruzione senza bussare. Nel sentire la sua richiesta, il direttore, un quarantenne levigatissimo dall'aria estenuata, sbiancò.

– Lei vuole...

– Un elenco dal 1972 a oggi. Impiegati, infermieri, ospiti, parenti, ditte di pulizia, lavoratori part time... tutti quelli che sono passati di qui!

– Ma saranno mille nomi... ci vorrà una vita.

– Mi servono subito!

Il direttore ci pensò un po' su, poi gli tese la mano con fare sbrigativo.

– D'accordo, commissario. Sarò lieto di venirle incontro. È un piacere dare una mano alla forza pubblica... e io voglio essere il primo a farlo. Per dare l'esempio, dico bene? Ora la devo lasciare, ma le assicuro che in un paio di giorni al massimo riceverà l'intero incartamento.

Davanti al sorriso untuoso di quel burocrate, Matteo desiderò essere Prosperi.

– Ho detto adesso! – scandí, rifugiandosi in una calma gelida che lasciò l'altro del tutto indifferente.

– Impossibile!

«Prosperi», invocò, «vienimi in aiuto». Si protese verso l'uomo e lo afferrò per la cravatta.

– Stammi bene a sentire, stronzetto: se entro due ore non ho quello che mi serve, ti faccio rivoltare il tuo bel lager come un calzino. Sono stato chiaro?

Il direttore, terreo in volto, schiacciò il pulsante dell'interfono e gracchiò un ordine alla segretaria. Solo allora Matteo lo lasciò andare. L'uomo strisciò via e Matteo andò a sedersi al suo posto, levando un muto peana a Prosperi.

Iniziò cosí un'attesa interminabile che il commissario, roso dalla tensione, non sapeva come ingannare. A un certo punto Davide Zanetti lo chiamò sul cellulare.

– Scusa, ma non riesco mai a trovarti...

– Scusa tu, è un momentaccio.

– Mi chiedevo, ecco, se magari potevamo vederci...

– Domani, forse.

– Io pensavo... tra un'oretta magari passo da te, solo per un salutino, eh?

– Oggi no, scusami, ma proprio non posso.

– Ma oggi è...

La porta finalmente si aprí, e un nero in uniforme da por-
tantino scaricò sulla scrivania un voluminoso faldone dalla copertina rossa, stracolmo di tabulati. Matteo salutò frettolosa-
mente Zanetti e si gettò avidamente sulle carte. Poi ci ripensò
e fece per allungare una banconota all'uomo. Ma il nero rifiutò
l'offerta.

– È stato un piacere, capo, noi tutti molto contenti che tu
metti paura a quello stronzo!

Roberto attese che gli altri prendessero posto, si schiarí la
voce e indicò il pannello con le fotografie delle vittime.

– Queste, come sapete, sono le donne uccise dal Figlio dei fiori. Manca la foto di Svetlana Liciuk: ora sappiamo che la sua aggressione non fu opera del nostro uomo. Quello che stavamo cercando era un elemento in comune. Matteo era convinto sin dal-
l'inizio che lui le conoscesse tutte, e che avesse qualche particolare
motivo per desiderare la loro morte. Quindi, le domande sono
tre: che cosa lega queste donne? Perché lui le uccide? Come fa a
conoscerle? Cominciamo dalla prima: che cosa lega queste donne? Ebbene: tutte le vittime, nessuna esclusa, avevano il padre
ricoverato nella stessa casa di riposo, la Giovanni Pascoli!

– Buono, – concesse Prosperi, masticando il sigaro. – Ma
che mi dite di *lui*?

– Veniamo alla seconda domanda: perché le uccide? A che
cosa si deve il suo particolare, tipico *modus operandi*? Anna...

La dottoressa si avvicinò al pannello e indicò la prima fotografia.

– Doriana Germondari. Morta a causa dello sfondamento
dei timpani.

– Il padre era completamente sordo, – intervenne Roberto.

– Morena Dall'Angelo, – riprese Anna. – Arti inferiori carbonizzati.

– Il padre aveva un'artrosi deformante che gli impediva di
camminare.

– Francesca Maltese. Sfondamento della cassa toracica e asfissia.

– Il padre ha un enfisema polmonare.

– Stefania Andreasi, l'ultima, dissanguata per l'asportazione dei bulbi oculari.

– Il padre...

– Fammi capire... – ringhiò Prosperi – è cieco!

– Giusto! – sbottò Roberto. – È chiaro che l'assassino ha in mente una vera e propria legge del contrappasso. Ricordate la *Divina Commedia*? Bene, lui punisce le sue vittime infliggendo le stesse sofferenze del genitore.

– Un momento, – intervenne l'ispettrice Rubino, – e la madre di D'Ottavi? Il commissario è convinto che tutto è cominciato con quel delitto, ma...

– Nessun ma, – tagliò corto Roberto, – anche lei aveva un padre invalido, inchiodato sulla sedia a rotelle.

– E quindi, – disse l'ispettrice, – lui conosceva anche i genitori delle vittime!

– E questo ci fornisce la risposta alla terza domanda: come fa a conoscerle? Attraverso i loro genitori! E dove conosce i genitori? C'è un solo posto possibile...

– La casa di riposo! – concluse, un po' amaro, Prosperi. – Bene. Ora che sappiamo quasi tutto di lui, non ci resta che prenderlo!

Quando Matteo raggiunse la sala operativa, la riunione si era da poco sciolta, e tutti si erano defilati.

Si era attardato il solo Roberto. Impallidí nel vedere la mole di carte che Matteo aveva rovesciato sul tavolo ovale.

– Un'altra nottata di lavoro!

– Temo di sí. La nostra ipotesi è che l'assassino sia Bertocchi. Abbiamo un ritratto, ma lui è ufficialmente morto. Sicuramente si è ricostruito una nuova identità. E con quella ha cominciato a frequentare la casa di riposo. Dobbiamo incrociare le date, annotare i nominativi sospetti, preparare schede, controllare, verificare sino all'ultimo dettaglio.

– Tutto qui?

– Cominciamo, dai!

Sedettero fianco a fianco. Matteo divise i tabulati in due mucchi e ne passò uno all'amico. Un giovane agente si affacciò sulla soglia della sala operativa.

– Dottor Colonna, c'è suo padre...

Matteo non poté sopprimere un piccolo moto di fastidio: gli aveva pure detto che era occupatissimo!

Davide Zanetti era in giacca e cravatta, una composta eleganza da impiegato d'altri tempi. Curiosamente, aveva le mani dietro la schiena. Roberto lo salutò levando un braccio, la testa già immersa nei tabulati.

– Scusami ancora, Matteo, ma dovevo assolutamente vederti oggi.

– Ma perché?

Nelle mani di Davide era comparso un piccolo pacco dono.

– Per me? – stupí Matteo. – Grazie, ma...

– Insomma... – borbottò Davide – buon compleanno, figlio!

Matteo prese il pacco con l'aria stranita. Roberto piantò le sue carte e si avvicinò ai due.

– Ma che razza di... ma come! Oggi è il tuo compleanno e non dici nulla? Auguri!

– Me n'ero dimenticato.

– Un'altra balla cosí e viene giú il soffitto.

– Va bene. Da quando ho otto anni non lo festeggio piú. Soddisfatto?

Davide incassò la testa tra le spalle.

– Mi spiace... avrei dovuto capire... non sapevo...

Roberto, fingendo di non accorgersi dell'imbarazzo generale, gli prese il pacco e lo andò a posare sulla scrivania, tra la copertina rossa del faldone con la scritta CASA DI RIPOSO GIOVANNI PASCOLI e la foto cerchiata di rosso di Alessandro Bertocchi e del suo sconosciuto amico.

– Se non lo apri tu lo faccio io... Allora?

– È solo un pensierino... – sorrise Davide.

Matteo scartò il pacco. Un piccolo teatrino di legno dipinto con un bel sipario di stoffa rossa.

– Tira la cordicella! – lo esortò Davide.

Matteo sollevò il sipario, rivelando due piccoli burattini di legno, uno accanto all'altro. Il primo con la giacca marrone e i pantaloni di velluto e i capelli bianchi. L'altro, giovane, i capelli neri, vestito da poliziotto in divisa.

– Ma siete voi due! – esclamò Roberto.

– È molto bello, grazie davvero.

Una commozione violenta, un fiume in piena che dalla bocca dello stomaco risaliva alla gola, agli occhi. L'abbraccio di Davide. Lacrime ricacciate indietro da un'antica abitudine alla compostezza. Memoria di dolore cancellata dal calore di un momento.

– Be', – sospirò Davide, sciogliendosi dall'abbraccio e indicando il faldone con i tabulati. – Adesso vi lascio. Vedo che avete un sacco di lavoro...

– Ah! – si lamentò teatralmente Roberto. – Quello non manca mai, ma questa volta 'sta roba me la sciroppo tutta da solo!

– Ma che dici! – insorse Matteo.

– Diciamo che è il mio regalo di compleanno.

– Non se ne parla nemmeno!

– Vuoi che mi offenda e ti levi il saluto?

– Ma come fai con...

– Adesso ti dico il programma: carico la roba in macchina, passo a prendere due pizze e un paio di lattine di birra, vado a casa, consumo la frugale cena del ragazzo-padre insieme alla dolcissima baby-sitter della piccola Chiaretta, tale Accidia Cesira da Cesena, femmina, razza bianca, altezza uno e cinquantadue, peso ottantaquattro chili, e poi...

– Va bene, mi hai convinto. Sei un amico.

Padre e figlio uscirono insieme dalla Centrale. Matteo si sentiva leggero, disponibile alla vita, riconciliato. Davide gli trotterellava accanto, l'immancabile sigaretta tra i denti. Proseguirono sino a una Mégane parcheggiata in divieto di sosta.

– Io sono arrivato. Goditi la serata, a presto!

– Pensavo che saremmo rimasti insieme, – azzardò Matteo.

– Ipocrita! Tu pensavi a una certa dottoressa dalle lunghe gambe, o mi sbaglio?

Non si sbagliava.

Quando se lo vide davanti con un mazzo di rose rosse e una bottiglia di champagne, la dottoressa in questione dissimulò abilmente la sorpresa dietro lo schermo di un'aria vagamente annoiata.

– Ci eravamo già scambiati gli indirizzi?

– Non dimenticare che sono un poliziotto!

– Vieni.

La seguí nel soggiorno, e da lí in un salottino: toni caldi, mobili antichi, probabilmente di famiglia, un tavolo da lavoro di mogano con l'immancabile Pc, un divanetto, un televisore acceso, una tazza piena a metà di un liquido scuro, fumante. Matteo posò la bottiglia e i fiori.

– Ti ho disturbato?

– Ah, tantissimo! Sai com'è, quando mi bevo una cioccolata calda davanti a un bel film di vampiri non sopporto di essere interrotta!

Matteo lanciò un'occhiata allo schermo. Una ragazza fuggiva, inseguita da un cattivo in palandrana nera.

– Di che parla il film?

Anna spense la Tv, poi prese a slacciarsi con disinvoltura la camicetta. I suoi occhi non abbandonavano per un istante Matteo.

– Di una famiglia di vampiri nomadi che si muovono con la roulotte con i vetri oscurati...

Matteo si tolse la giacca e la lasciò scivolare sul divano.

– Davvero?

Anna, sempre continuando a fissarlo, si liberò delle scarpe.

– Sí, altrimenti la luce del sole li ucciderebbe.

– Mi sembra logico, – concordò lui, sfilando la camicia dai calzoni e restandosene a torso nudo. Anna si sganciò il reggiseno.

– Dormono di giorno e stanno svegli di notte.

Si avvicinarono, si sfiorarono.

– Ottima idea, – mormorò Matteo.

– Basta parole, – disse Anna, sigillandogli le labbra con un bacio umido, insinuante.

Con Chiaretta che dormiva di sopra e il tenue sottofondo di
John Coltrane, la vita sembrava meno dura, pensò Roberto. Anche se i dati da controllare facevano paura: oltre mille pagine di
tabulati fitti di nomi, date, cifre. Il tutto stampato su carta milli-
metrata e in caratteri minuscoli: sorta di vendetta postuma della
burocrazia messa con le spalle al muro. Da dove cominciare? Infermieri? Fornitori? Registro degli ingressi e dei decessi. Compa-
gnie teatrali ospitate nell'intento di alleviare il rodimento dei vecchietti... matrimoni... c'era persino un'esile listarella dei matrimoni celebrati all'interno della casa di riposo: Maidalchini
Adalgisa di anni 77, vuoi tu prendere per tuo legittimo sposo Pi-
rola Pasquale di anni 82? Ah, be', dopo tutto... c'è anche un indice generale... saranno diecimila nomi... una prima occhiata, a
caso... Amatimaggio... Antognetti... Antonaci... Biondi... Bru-
fano... Cederna... Dazieri... De Cosmo... Filippi Ambrogio...
Filippi Brunella... Filippi Deodato... Gullotta... Notaristefano...
Verdicchi... Zambrotta... Zanetti... Zanetti... *Zanetti*...
– Ehi, ma che...
Afferrò una penna e cerchiò il nome che l'aveva colpito. Preso da un'eccitazione febbrile, rovistò tra le carte finché non ebbe tra le mani la foto di Bertocchi e dell'amico. La sollevò, stu-
diandola nei dettagli. Possibile che...
Si trasferí al desk, accese il Pc, tamburellando con le dita in
attesa che la macchina gli desse l'Ok, inserí la foto nello scanner e la visualizzò sullo schermo. Zoomò sul volto di Bertocchi.
Lo scartò, spostandosi sul ragazzo accanto. Faccia pulita. Capelli corti. Primo piano. Primissimo piano. Dettaglio degli occhi. Lanciò il Morphing Plus.

ETÀ	58
PESO	KG. 75
SEGNI PARTICOLARI	N. N.

Impostò la variazione con una sequenza di due anni. Spinse il tasto *return*. Il computer cominciava a elaborare lentamente. I numeretti dell'età partivano da 30. Ci volevano dai dieci

ai quindici secondi per completare la modifica dell'immagine nel biennio selezionato. 35... 37... 41... 43... la fisionomia prendeva corpo... inutile attendere ancora...

Si precipitò al telefono. Matteo.

«Messaggio gratuito. L'utente da lei chiamato potrebbe avere il terminale...»

Anna... Mozart!

«Mi dispiace, vi è andata male! Non sono in casa. Se volete lasciare un messaggio dopo il bip...»

– Anna... Matteo... ci siete? Matteo, devo parlarti, è urgentissimo! Matteo, dove cazzo sei? Rispondete, vi prego!

Un suono acuto segnalò che il Morphing Plus aveva eseguito il proprio compito.

Sullo schermo del Pc campeggiava il volto invecchiato di Davide Zanetti.

Era lui il compagno di Bertocchi nella foto.

Roberto digitò furiosamente qualcosa, poi afferrò le chiavi della macchina, infilò un giaccone e si catapultò in giardino. Subito da Prosperi. Non c'era un minuto da perdere. Sedette al posto di guida. Infilò le chiavi nel cruscotto. Davide Zanetti! Tutto si spiegava, ora! E lui sapeva. Non poteva non sapere, si erano visti nella sala operativa. Bisognava far presto! Ma perché il motore non...

Avvito il silenziatore e avanzo piano protetto dalle ombre del giardino. Roberto sta lottando contro il motore che non vuole saperne di avviarsi. Non sa che l'ho messo fuori uso con l'aiuto di un cacciavite e di un po' di esperienza. Mi avvicino al finestrino. Faccio scattare la sicura. Protendo la Makarov. I due colpi secchi, brevi, sembrano lo schiocco di una lattina schiacciata dalla ruota di un camion. Lui è stato scaraventato contro il sedile. Apro la portiera. Scosto delicatamente il corpo del nemico che non avrei voluto avere come nemico e gli prendo le chiavi. La macchia di sangue sul torace si sta allargando. Nel chiudergli gli occhi, sto bene attento a non imbrattarmi. Mi dirigo verso la sua casa.

Improvvisamente il tempo è diventato il centro di tutto. Guidati dal formidabile intuito di Matteo, sono arrivati alla casa di riposo. Hanno scoperto la Legge dei Padri. Hanno la fotografia del povero Bertocchi. A giudicare dall'agitazione di Roberto, anche la mia identità non doveva piú essere un segreto. Almeno per lui. Ma io non chiedevo che tre giorni, tre altri miseri giorni... Dove ho sbagliato? Che errori ho commesso? Li ho sottovalutati? Mi sono distratto? Colpire Stefania è stato un errore? Ma non potevo lasciarla andare. Cerco di dire a me stesso che prima o poi ci sarebbero arrivati comunque. Tutta colpa di G.... è stato lui a metterli sulle mie tracce... o tutto merito di G., dovrei dire? Perché adesso sarò costretto a giocare a carte scoperte... ma forse non è detta l'ultima parola; tutto dipende da una circostanza: ammesso che Roberto abbia capito, c'è qualcun altro che sa?

Il suo computer. La mia immagine che campeggia sullo schermo. Bravo, Roberto! Che la terra ti sia lieve. Non potevo permettere che mi prendessero. Niente di personale. Non so chi autorizzi la gente a pensare che uno come me non veda l'ora di farsi sbattere in una lurida cella. Non è cosí. Porterò via questa preziosa scatola nera, la farò a pezzi, la getterò nell'Adriatico, e poi partirò e... ma... un momento... cos'è questo...

from \<r.fernandez@polcentro.pol\>
to \<prosperi@polcentro.pol\>
re: Figlio dei fiori
messaggio: Eseguito controllo documenti casa di riposo Pascoli.
   Notato nominativo Davide Zanetti, padre commissario Colonna. Fatta scannerizzazione foto Bertocchi (apri allegato).
   Probabile Zanetti sia Figlio dei fiori. Fernandez.
Inviato: ore 00.27. Trasmissione: OK.

È stato inutile! Tutto inutile! La posta elettronica è stata piú veloce di me. Ah, Roberto, che ho fatto! Tu gli eri amico, e la tua morte è stata inutile! Ma tu, o Padre, perché hai permesso che mi spinges-

si a tanto? Invocavo soltanto tre giorni, tre miseri giorni... e ora... ora dovrò fuggire, braccato, senza identità, smascherato... ma non posso permettere che lui venga a saperlo da altri... devo essere io a dirglielo... dovrà comprendere, accettare... dovrà seguirmi... Qualcuno deve raccogliere la mia eredità... Un rumore. Poco piú di un fruscio. Mi volto lentamente, l'arma in pugno. Una bambina in pigiama in fondo alle scale. Sarà sua figlia... la figlia di Roberto... curioso come la vita si ripeta; deve avere la stessa età di G. trent'anni fa... stringe con le manine un orso tutto stropicciato...

– Dov'è papà?

– *Ah... torna subito... è uscito un attimo... a comperare le sigarette, sí...*

– *Papà non fuma.*

– *Ora che ci penso... mi ha detto che ti avrebbe portato un orsacchiotto nuovo. Ma solo se sei buona. Tu sei buona, vero?*

Annuisce. Le vado vicino, la prendo per mano. La sua piccola mano calda. La stretta cosí fiduciosa...

– *Vieni. Ti porto a letto...*

Anna attraversò sbadigliando il soggiorno. Nel vederla comparire, con addosso una corta magliettina bianca, Matteo si sentí riprendere dal desiderio, e azzardò una manovra di assalto. La ragazza si divincolò con un sorriso gaio e annusò il profumo di caffè che invadeva il salotto. Matteo, già perfettamente vestito, aveva procurato cornetti caldi.

– Ti ricordi l'altra sera, dopo la riunione?

– Quale, Matteo? Ne abbiamo fatte cento, di riunioni.

– Quando ti sei elegantemente disimpegnata da un mio invito dicendo che avevi un impegno improrogabile...

– E allora?

– Niente, mi chiedevo... mi piacerebbe sapere di che impegno si trattava...

– Indiscreto! – Anna rise.

– Voglio sapere tutto di te.

– Un po' alla volta...

– Subito!

– Uh, che temperamento passionale. Diciamo... diciamo che si trattava di mettere la parola fine a una brutta storia.

– Un uomo?

– Geloso?

– Vedremo...

– Ehi, – disse Anna, notando che la segreteria telefonica lampeggiava. – Stanotte eravamo cosí occupati a raccontarci la nostra vita che non ci siamo accorti del messaggio...

– Chiamalo raccontarsi la vita! – rise Matteo, e pigiò il tasto dell'ascolto.

«Anna... Matteo... ci siete? Matteo, devo parlarti, è urgentissimo! Matteo, dove cazzo sei? Rispondete, vi prego!»

La voce concitata di Roberto li fece rabbrividire. Anna alzò la cornetta e compose un numero.

– Roberto? Sono io... Ippoliti? Che ci fai là?

Il giardino pullulava di poliziotti. Pattuglie con i lampeggianti accesi, un'ambulanza, la barella con il corpo di Roberto coperto da un telo. Curiosi in strada. Nel soggiorno, Anna abbracciata alla piccola Chiaretta che continuava a ripetere: – Papà mi ha promesso l'orso... l'ha detto quel signore...

Matteo, seduto sui gradini, fissava il vuoto. Prosperi incaricò Ippoliti di far trasportare l'automobile di Roberto nel garage della polizia. Poi andò a sederglisi accanto.

– Prima ha sabotato la macchina, poi gli ha sparato attraverso il vetro. Due colpi a bruciapelo. Cartucce calibro 9x21, arma probabilmente silenziata, forse una pistola russa o slava. Ma perché?

– Mi aveva cercato.

– Chi?

– Roberto. Stanotte. E io non c'ero!

Anna si affacciò sulla soglia. Per quanto fosse compito suo, non se la sentiva di fare l'autopsia.

– Matteo! Ma che succede?

Era Davide Zanetti. Si era fermato davanti al cancello, la macchina con il motore ancora acceso. Appena lo vide, Matteo si diresse verso di lui.

– Roberto è morto. L'hanno ammazzato.

– Mio Dio…

– Andiamo via di qui.

Bambole e burattini colorati. Alcuni sopra i mobili, altri seduti compostamente sul letto. Alle pareti manifesti dozzinali. Poca luce. Una lampadina sul tavolo da lavoro. Nel retrobottega della Casa dei Giochi si respirava un'aria mesta.

Davide Zanetti prese il vassoio con due tazzine fumanti e si avvicinò a Matteo, che se ne stava seduto sul divano in maniche di camicia, gli occhi gonfi di pianto. Matteo sorseggiò il tè e ringraziò il padre con un sorriso. Quell'attenzione vigile, concreta, era un benefico toccasana per la sua disperazione. Uno squillo nervoso del campanello del negozio.

– Un cliente. Scusami, mi sbrigo subito.

– Fai con calma…

Matteo bevve un altro sorso di tè, poi si mise a giocherellare con una bambola. C'è una fase in cui il dolore sembra insopportabile. Qualcosa che ti spezza le gambe e ti succhia tutte le forze. Poi, col tempo, le cose si riassestano. E il dolore si muta, a poco a poco, in una musica gentile e un po' dolente. Ma lontana. Agire, non riflettere. Accorciare i tempi del lutto. Farlo per lui, per Roberto. Non potevano esserci dubbi che a ucciderlo fosse stato il Figlio dei fiori. Chi altri poteva restarsene tranquillamente in casa a calmare la bambina? Ma perché? Che cos'aveva scoperto Roberto? I nomi… l'elenco… ciò significava che erano vicinissimi alla verità. Roberto c'era arrivato prima di lui, e l'assassino l'aveva soppresso. Ma come faceva a sapere? Come faceva a sapere sempre tutto di loro? Uno strano torpore, intanto, si insinuava nella sofferenza. La testa girava. Si sentiva quasi soffocare.

– Va meglio?

Davide, licenziato il cliente, era rientrato e gli offriva nuovamente del tè.

– No, mi sento... non va per niente bene...

Nemmeno strofinandosi le tempie riusciva ad alleviare il senso di oppressione. Davide sorrideva, affettuoso.

– Devi sforzarti di non pensarci. Lo sai cosa faccio io, quando sono molto giú? Chiudo il negozio, metto sul piatto una musica e mi stendo... non penso a nulla.

Matteo si stese sul divano. Davide prese un vecchio Lp da un mucchio di dischi coperti di polvere e lo sistemò sul piatto di un altrettanto vetusto giradischi.

– Davide, io...

– Rilassati...

– Mi gira la testa...

– Rilassati, figlio, rilassati...

Il fruscio del primo solco. Le prime note della musica...

Silence... perché ha messo questa musica? Dondola al suo ritmo ossessivo, gli occhi chiusi, sul volto un sorriso che non conoscevo... soddisfatto... con una piega di... com'è che si chiama questa... crudeltà?

Possibile? La testa sta per scoppiare, cerco di alzarmi, ma le gambe mi trascinano giú... Davide danza come un derviscio posseduto dal parossismo della musica... il tè ha un fondo amaro... che cosa mi hai dato da bere, padre? Chi sei? Le pareti vorticano, Davide è diventato due dervisci danzanti, le bambole hanno occhi spettrali e sogghigni da streghe, tutto gira intorno al suo girare, Davide ha le braccia spalancate, come in un grande abbraccio... chi... sei... tu... pa... dre...

8.

from \<r.fernandez@polcentro.pol\>
to \<prosperi@polcentro.pol\>
re: Figlio dei fiori
messaggio: Eseguito controllo documenti casa di riposo Pascoli.
   Notato nominativo Davide Zanetti, padre commissario Colonna. Fatta scannerizzazione foto Bertocchi (apri allegato).
   Probabile Zanetti sia Figlio dei fiori. Fernandez.
Inviato: ore 00.27. Trasmissione: OK.

Fu l'ispettrice Rubino, controllando le e-mail dell'elaboratore centrale della questura, ad accorgersi del messaggio di Roberto. E fu Anna a riconoscere, nell'immagine in allegato, il padre di Matteo.

Fu Prosperi in persona, invece, a guidare la spedizione al negozio di Zanetti: due volanti cariche di uomini armati e muniti di giubbotto antiproiettile. E altri quattro equipaggi a sbarrare la via della Casa dei Giochi e quelle limitrofe.

Fu ancora Prosperi a inserire il piede di porco sotto la saracinesca serrata e a sollevarla, aiutato da Ippoliti. Sfondarono quindi la porta a vetri e irruppero spianando le armi. Il negozio appariva in ordine. La porta del laboratorio accostata. Prosperi entrò per primo. Accese la luce.

– Santiddio! – esclamò Ippoliti.

Prosperi ripose l'arma nella fondina. Prima di andarsene, il Figlio dei fiori aveva distrutto ogni cosa. I mobili, gli scaffali, i pensili. Al soffitto erano appese, legate per il collo come piccoli impiccati, tutte le bambole.

– Qui non c'è nessuno, capo, – constatò un giovane agente, fissando con gli occhi sbarrati il macabro spettacolo.

– Ma dove sarà? – chiese un altro.

Sono qui, figlio. Sono in questo vecchio magazzino che da anni costituisce il mio... ma sí, usiamo pure quest'espressione da romanzo d'avventura... il mio rifugio segreto... la paracodina dovrebbe già aver cessato i suoi effetti... Che abbia esagerato con la dose? Ma no, ma no, ho commesso degli errori, ultimamente, questo lo ammetto, ma non sono poi cosí rimbecillito! È solo la grande, immensa voglia che ho di confrontarmi con lui a farmi sembrare che il tempo scorra troppo lentamente... eppure ne ho di tempo, davanti a me... davanti a noi... c'è tutto il tempo del mondo. Ecco, Matteo si agita sulla seggiola alla quale l'ho saldamente assicurato... geme... la testa deve ancora dolergli, ma presto anche questo effetto secondario della droga svanirà, e in lui non resterà che una certa mollezza nelle gambe. Be', ma dopo tutto non voglio che riesca a liberarsi... non ancora. Apre gli occhi, si guarda intorno. Mette lentamente a fuoco la grande stanza disadorna, la vecchia carta da parati a strisce e cerchi colorati come l'arcobaleno, la finestra chiusa dalle pesanti tende verdi che lascia penetrare un'esile larva di luce notturna... le sue orecchie percepiscono il rumore delle imposte che il vento fa vibrare...

– Ben svegliato! Spero che le corde non siano troppo strette...

Gli vado vicino. Sa di sudore. Ha perso l'abituale compostezza. Mi fissa con lo sguardo pieno di incredulità.

– Sei tu!

– Già... il Figlio dei fiori... che nome idiota! Capisco che per un cronista possa avere il suo fascino, ma ti assicuro che non c'è niente di piú lontano dal mio modo di pensare di quella... come si chiamava? La controcultura degli anni Settanta. Che schifo!

– Ma come... come hai potuto? Hai ucciso anche Roberto!

– Che tragedia! Me ne dispiace, sinceramente. Ma vedi, eravate troppo vicini alla verità e io... io non chiedevo che tre miseri giorni di tempo. Povero Roberto, cosí intelligente, cosí devoto agli amici… era anche un buon padre!

– Vaffanculo!

– Vedi, Matteo, volevo essere io a dirti la verità. Se avessi avuto un po' piú di tempo, sarei fuggito. Ho un posto dove andare, credimi. Da lí ti avrei scritto e ci saremmo incontrati. Mi scuso per le circostanze in cui avviene questo nostro colloquio, ma dovevo spiegarti tutto di persona.

– Sei un mostro! Basta con le cazzate! Slegami!

– Un mostro? Mi aspettavo di piú da te. Sinceramente…

Lo colpisco. Il segno delle dita resta impresso sulla sua guancia. Matteo scuote la testa come un cane che si scrolli dell'acqua. Mi dispiace, ma un padre ha dei doveri: insegnare il rispetto, per esempio. Anche con la durezza, se necessario. Sono i *no* che aiutano a crescere!

– Non ti permetto di parlarmi cosí… mi sono spiegato? oltretutto, un epiteto cosí volgare come mostro non fa onore alla tua intelligenza!

Non mi ha ancora chiesto perdono. Lo colpisco ancora.

– Mi sono spiegato?

– Sí… scusami… ho perso la calma.

Essere riuscito a dominarsi gli fa onore. Bene, bene, siamo sulla strada giusta.

– Incidente chiuso.

– Bertocchi non c'entrava niente, vero?

– Lo vedi? Come fa un padre a non essere orgoglioso di un figlio cosí perspicace! Sí, era proprio lui quello bruciato nella macchina. Povero Sandro… eravamo cosí amici, ma d'altro canto, la polizia cercava un colpevole e io gliel'ho dato. Tu che avresti fatto al posto mio?

– Scuse. Sono solo scuse. C'è qualcosa che non funziona dentro di te!

– No, queste sono scuse. Mi piacerebbe che tu mi capissi, ma forse è troppo presto…

– Tu cerchi solo qualcuno con cui vantarti delle tue imprese… un pubblico… come D'Ottavi.

– Lasciamolo stare, D'Ottavi! Lui non ha fatto nulla! Pensa, lo conoscevo da quand'era piccolo cosí... ma tu c'eri già arrivato da solo. Ha preferito morire piuttosto che tradirmi. Questa è devozione!

– Eri come un padre per lui, vero? L'ha persino scritto sul muro del carcere. Eppure, non hai esitato ad abbandonarlo.

– Solo quando sei arrivato tu... il mio vero figlio!

Mi avvicino alla finestra. Lui è ancora ostile. Il suo super-io poliziottesco è come una gabbia che stenta a rompere. Quante banalità mi toccherà ancora tollerare, prima che diventi unicamente mio?

– Ti diverte uccidere quelle donne innocenti?

– Innocenti? Innocenti, dici? Ma che ne sai tu? Mi viene da vomitare solo a pensarci. Io ho restituito loro solo una minima parte del dolore che hanno causato...

– A chi?

– Ai loro padri, Matteo, ai loro padri! Il quarto comandamento: lo ricordi? Onora il padre e la madre! Sta scritto tutto nella Legge. La Legge dà il Giusto Ritmo. E loro lo violano. Per questo devono essere punite! Solo quando diventerai padre capirai quanto possono essere crudeli i figli. Ora... ora non puoi saperlo. Ho passato giornate intere in quella casa di riposo, ad ascoltare quei poveri vecchi che si lamentavano del dolore che avevano dentro. Perché non è solo il dolore fisico Matteo, no... è qualcosa di piú profondo, di terribile. E non c'era nessuno lí ad ascoltarli! Soltanto io, un volontario! Un estraneo, per intenderci. E loro, quelle puttane, una volta chiusi i genitori in quel posto di merda, credevano di essersi liberate di un peso. Cosí, come quando la mattina si getta l'immondizia... Ma quelle sono persone. Sono uomini con un'anima dentro! Un'anima che ora sanguina e chiede vendetta. Ti sembro ancora un mostro?

Mi ha ascoltato! Mio figlio mi ha ascoltato! La comunicazione ha fatto breccia nello scudo del dovere! Mi accosto a lui fiducioso...

– Ma il nostro rapporto è diverso, vero? Noi siamo uniti, e

ci vogliamo bene. Ho grandi progetti per il nostro futuro, ragazzo mio!

– Ecco perché mia madre non mi ha mai parlato di te. Aveva capito che sei un pazzo, completamente pazzo...

È presto, maledizione, ancora troppo presto. Sua madre... sono tentato di... ma no, crollerebbero i presupposti. Piano, piano, Davide, c'è tempo... col tempo il Giusto Ritmo si ripristinerà...

– Hai solo bisogno di tempo per capire, Matteo. Vedi, io ho perso tutto: il mio lavoro, la mia vita, ma ora ho te. So che mi cercherai...

Prendo dalla sua giacca, appoggiata su una sedia sfasciata, il telefonino.

– Cosí saprai dove trovarmi, – gli dico, raggiante. Poi mi avvicino ancora di piú, mi protendo verso di lui e lo bacio sulla guancia che prima ho colpito. Dopo il meritato castigo, il giusto premio. Lui non reagisce. Questo gesto, cosí naturale tra padre e figlio, lo considera, probabilmente, ancora assurdo. Capirà.

– Dove vai? Fermati!

Sono in strada, ora. Le autopattuglie con i lampeggianti accesi presidiano la Casa dei Giochi. I curiosi si interrogano sul motivo di tutto quello spiegamento di forze. Qualcuno, sollevandosi sulle punte dei piedi, cerca di sbirciare oltre la muraglia impenetrabile delle divise. Un giovane agente si affanna a disperdere il capannello. Molti si staranno chiedendo: ma possibile? Il signor Zanetti? Il giocattolaio? Proprio lui? Quell'uomo piccolo e gentile, sempre solo... Eh, e magari, a pensarci bene, un po' strano. sembrava cosí perbene, proprio l'uomo della porta accanto... Acqua passata: chi ha piú bisogno di fingere, ormai?

Mi allontano nelle stradine del quartiere.

Ah, dimenticavo: il magazzino è in uno scantinato a dieci metri dal negozio.

Un piccolo tocco di classe, *n'est-ce pas?*

La sedia crollò a terra, rovinando con uno schianto secco. Matteo riuscí a liberarsi dalle corde e si precipitò verso l'uscita del magazzino. La porta era soltanto accostata. Di fronte a lui, la Casa dei Giochi. Poliziotti, curiosi, lampeggianti. Il primo ad accorgersi della sua presenza fu Ippoliti.

– Dottor Colonna! La stiamo cercando dappertutto...

Una macchina di servizio lo accompagnò in centrale. L'agitazione regnava sovrana in sala operativa, e Matteo ebbe l'impressione che tutti i colleghi, in un modo o nell'altro, fossero imbarazzati dalla sua presenza. Li capiva. Sapevano, ovviamente. Ma ciò non gli impedí di pensare che, nelle loro occhiate sfuggenti, affiorava come un muto rimprovero.

L'unica a non evitarlo fu l'ispettrice Rubino, che gli andò incontro con un sorriso tirato. Nel negozio di Zanetti avevano rinvenuto una copia del filmino in superotto che il padre gli aveva consegnato nel corso del loro primo incontro. Matteo riattivò il vecchio proiettore. Le immagini di Laura scorrevano sulla parete animata, mentre commozione e rabbia si agitavano dentro di lui.

– Sua madre era veramente molto bella, – sussurrò la Rubino.

– Lo diceva anche Roberto.

– Noi poliziotti non siamo molto originali...

Anche questa copia s'interrompeva all'improvviso, su un sorriso di Laura, appena riemersa da un tuffo nelle acque del Faro d'Oriente. Chissà che altre immagini sarebbero seguite, si chiese Matteo. Chissà che altri dolori.

– Che ne facciamo? – chiese l'ispettrice.

– Lo getti via – disse cupo il commissario – getti via tutto!

Prosperi arrivò dopo un'ora e lo convocò immediatamente nel suo ufficio per una comunicazione urgente: era stato sospeso dall'incarico.

– Ho parlato con il procuratore della Repubblica e con il tuo capo all'Unità Anticrimine violento: hai un mese di congedo straordinario per riprenderti dallo stress e poi potrai tornare al tuo lavoro. A Milano.

Prosperi gli disse che, secondo il suo stesso capo, non era opportuno che proseguisse nell'indagine. Matteo la prese male.

– Ma siete tutti matti? Io ho seguito il caso sin dall'inizio, io l'ho fatto venire allo scoperto. Lui cerca me. Ma che vi prende?

Prosperi abbassò lo sguardo.

– Mi dispiace...

– Anche tu sei d'accordo?

– Nessuno ha chiesto il mio parere.

– Credevo che fossimo una squadra.

Squillò il telefono. Prosperi alzò la cornetta. Matteo con la mano chiuse la comunicazione.

– Tu volevi questa indagine, vero? E prenditela, allora, risolvitelo da solo, il caso. In fondo, è quello che hai sempre desiderato, no? Che me ne andassi fuori dalle palle.

Prosperi sospirò, cercando conforto nel sigaro.

– Matteo, lui è davanti a te, armato... ma tu hai una pistola puntata contro di lui. Sei sicuro che riusciresti a sparare per primo? È tuo padre, Matteo, tuo padre...

Piú tardi, nel cuore della notte, mentre Anna gli accarezzava dolcemente i capelli, ammise di essere stato ingiusto con il vicequestore.

– Avrei fatto anch'io come lui. Ci sono delle regole da rispettare.

Ma la scarsa convinzione che trapelava dal suo tono non impressionò la dottoressa.

– Io non credo che sia tuo padre, Matteo. Lui ti ha mentito. E c'è un modo per saperlo con certezza.

– Vuoi farmi l'esame del Dna?

– Perché no?

– È inutile. Era davanti a me. Armato. Io ero legato. Poteva uccidermi, ma non l'ha fatto. Perché?

Anna si morse la lingua.

– Perché è stanco, perché ne ha abbastanza, perché vuole farla finita...

– Perché nemmeno uno come lui può uccidere suo figlio.

Non si fermò da lei. Non era tempo di amore, e nemmeno

di sonno. Era tempo di lotta, di vendetta. Ma piú ancora, tempo di intelligenza, di comprensione. Davide cercava lui. Era lui il bersaglio di tutte le sue ultime azioni. Non si trattava che di una lunga, ininterrotta catena di messaggi indirizzati all'unico interlocutore che il Figlio dei fiori riconoscesse come tale.

Era stato lui a innescare il processo, ritornando a Rimini, comparendo sulla scena, svelando l'esistenza del serial killer. Doveva convincersi di una cosa: il fatto che fosse suo padre era solo un incidente di percorso. Ma chi poteva convincersi di una cosa cosí... enorme? Per gli altri era facile: il figlio è fuori dall'inchiesta. Ma per lui? Se c'era un uomo al mondo che poteva neutralizzare Zanetti, quello era solo e unicamente Matteo Colonna.

Si ritrovò davanti al Faro d'Oriente. La solita prostituta gli lanciò un richiamo stanco, poi sputò per terra, delusa, e gli volse le spalle, ancheggiando in cerca di nuovi clienti.

Non era lí che tutto era cominciato? Lí che Laura aveva amato un uomo sbagliato? Un mostro? No. Aveva sbagliato a chiamarlo mostro. Si era comportato come un dilettante alle prime armi. Zanetti cercava un contatto. Perché, altrimenti, impossessarsi del suo cellulare? Che gli altri lo credessero pure estromesso, deluso, vinto. Lui avrebbe lottato. Avrebbe lottato sino in fondo!

Non sono trascorse che poche ore dal nostro incontro, e già mi sento inquieto. Rigiro tra le mani il telefonino che giace inerte in fondo alla tasca del giubbotto impermeabile e mi chiedo: troverà la forza per chiamarmi? Sarà necessario ancora un piccolo... stimolo? Ah, perché la fede vacilla proprio nei momenti decisivi?

E finalmente l'apparecchio vibra. Ansioso, lo porto all'orecchio. La sua voce, sicura, determinata.

– Sono io.

– Matteo... che piacere sentirti...

– Dobbiamo vederci.

– Non chiedo di meglio!

– *Dove sei?*

– *Mettiti nei miei panni: al mio posto ti fideresti?*

– *No.*

– *Bene, bene...*

– *Dimmi tu dove...*

– *Nel caso che ci stiano ascoltando... vediamoci lontano da qui. Vediamoci a Venezia!*

Comprenderà, non c'è dubbio. Ora posso rilassarmi. Concentrarmi sullo spettacolo della spuma nervosa che si infrange contro la scogliera di questo porticciolo deserto. Amo il mare! Narra un vecchio mito che la sopravvivenza del mondo dipende da un poeta cieco che passa tutto il suo tempo a raccontare storie davanti all'Oceano. È solo la potenza del racconto che imbriglia l'Oceano. Se un giorno il poeta, per qualunque ragione, dovesse tacere, l'Oceano sommergerebbe la Terra.

Amo profondamente il mare: specialmente d'inverno, quando tutto è avvolto in una nebbiosa rassegnazione. La melanconia, noto, è lo stato d'animo che piú si addice alla mia complessa interiorità. Amo anche i racconti: erano il mio unico conforto quando venivo regolarmente punito per qualcosa che non avevo commesso. Ne avevo una riserva per i momenti difficili. Cosí come avevo da parte torce e pile: programmare era necessario per sopravvivere. Allora come adesso.

Divoravo quei libri pieni di truculente avventure, e non riuscivo a capire perché mai quegli stupidi principi, magari con l'aiuto di un'insulsa fata, riuscissero immancabilmente a trionfare sui severi orchi e sui nobili draghi.

Sí, amo tutto questo con straordinaria intensità, e rimpiango le serate che non trascorsi leggendo a mio figlio le storie dalle quali i bambini traggono il giusto alimento che li renderà adulti compiuti. La mia funzione educativa rivive con notevole ritardo, ma, come usa dire il volgo, non è mai troppo tardi.

Ora è meglio che mi avvii. Venezia, dopo tutto, non è cosí lontana.

– Okay, – disse Zanetti, prendendo Matteo sottobraccio.

Che strana coppia, pensò la gentile turista giapponese mentre l'immagine si fissava nel mirino della Minolta: un piccolo uomo avanti negli anni, dall'abbigliamento trasandato ma con l'aria raggiante, e un giovane alto, dinamico, un bel bruno mediterraneo dallo sguardo fosco ma con i lineamenti tirati, niente affatto sereni. Padre e figlio? Probabile. Ma con qualcosa di oscuro, di non detto. Come se fossero tanto vicini fisicamente quanto mentalmente lontani, divisi dalla sorda corrente del nondetto. Strani italiani… bah, affari loro, concluse la ragazza, restituendo l'apparecchio al vecchio, che ringraziava con un sorriso cerimonioso, si prendeva il giovane sottobraccio e se lo portava verso il campanile di San Marco: una copia in tutto e per tutto simile all'originale, inclusi gli immancabili piccioni e gli accenti cosmopoliti della folla festaiola.

Matteo aveva capito subito il senso del messaggio di Zanetti.

Era altamente improbabile che il Figlio dei fiori, braccato, isolato, con centinaia di uomini alle calcagna, fosse già riuscito ad allontanarsi da Rimini. Oltretutto, gli aveva esplicitamente confessato di detestare Venezia. Si trattava di trovare Venezia a Rimini. Ma dove? Chiaro: nell'Italia in Miniatura!

Era stato nei primi anni '70 (ancora i primi anni '70!) che Ivo Rambaldi, industriale nel ramo idrosanitari, aveva avuto la brillante pensata di ricostruire in scala ridotta le piú famose piazze e i piú celebri monumenti del Belpaese. Un'esca per il turista povero che non poteva concedersi il lusso di una serie di escursioni negli originali, ma anche, come non mancava di informare il sito Internet che Matteo aveva consultato prima di prendere l'autobus per Viserba, chilometro 197 della SS Adriatica, la perfetta ambientazione per *scene di ogni genere di film*.

Ed eccoli qui, padre e figlio, a passeggiare come due innocui turisti tra i surreali frontoni in schiuma di resina della piazza Italia, mentre i bambini insistevano per una capatina al luna park della Scienza o nella Foresta incantata, e i turisti, favoriti da un sole finalmente convinto, si prenotavano per un giro in canoa o per un'esplorazione nella Piccola Valle Preistorica.

– Laura voleva sposarsi proprio qui, in questa basilica di San Marco. Ne aveva di spirito, tua madre!

Zanetti indicò il campanile di San Marco, e si accese una sigaretta. Divertito dallo scenario, compiaciuto dalla rapidità che Matteo aveva dimostrato nel captare il piccolo indizio che gli era stato fornito, ostentava buon umore, padronanza di sé, perfetto controllo della situazione.

– Tu hai bisogno di aiuto, – disse Matteo.

– Davvero? Come Beethoven, il coprofilo Beethoven che la tua pseudoscienza avrebbe volentieri internato in un manicomio?

– Lui non uccideva.

– E Cellini? Caravaggio? Marlowe? Li chiamate assassini, forse? La morte è solo un dettaglio, Matteo. Le cose importanti sono altre…

Erano giunti all'ingresso di piazza San Marco. Davide si bloccò, fissando Matteo con gli occhi ridotti a due piccole fessure che mandavano lampi d'indignazione. Il commissario valutò la possibilità di un'azione di forza, e la scartò rapidamente. Troppa gente. Troppo pericoloso. Davide non aveva scelto a caso il posto. E nell'abbracciare Matteo, quando si erano incontrati davanti all'area giochi dei bambini, lo aveva palpato, per assicurarsi che non avesse portato la pistola. Matteo aveva simulato un'educata delusione: credevi che sarei venuto armato? Ottima mossa. Davide si stava aprendo. Cominciava a fidarsi di lui. Doveva farlo sentire sempre più sicuro di sé. E poi sorprenderlo con la guardia abbassata. Era l'unico modo che aveva per fermarlo senza dover…

Non sarebbe mai stato capace di sparare per primo. Non su suo padre.

– Ti prego, ascoltami, io sono disposto ad aiutarti. Lo so, sono un poliziotto, e dovrei arrestarti… ma sono anche tuo figlio, non posso dimenticarlo, per quanto ci abbia provato.

– Sono molto sorpreso da quello che dici, piacevolmente sorpreso. Vieni, facciamo due passi in questa nostra meravigliosa Italia… o preferisci forse l'Europa in miniatura? È alla nostra sinistra, vedi?

Matteo gli prese un braccio.

– Ti ho chiamato pazzo, mostro, ma ho sbagliato. Ho capito quello che fai e perché lo fai. C'è un'ingiustizia, è vero, ma non è questo il modo di risolverla.

Zanetti chiuse gli occhi, come per gustare la musica di quel linguaggio nuovo. Si stava abbandonando... la breccia era vicina...

– Forse non c'è un modo, – riprese Matteo, suadente. – È la vita stessa che è cosí, e noi non possiamo farci niente.

Davide aveva riaperto gli occhi, e ora fissava una coppia di turisti apparentemente intenti a scattare fotografie ai finti leoni della basilica.

Matteo, tu sei un ragazzo intelligente, non riuscirai a convincermi, e lo sai perché? Perché quello che faccio è giusto. Giusto, capito? E so che lo pensi anche tu.

Una nota stonata, nel tono con cui aveva pronunciato questa frase. Una vibrazione come di... sospetto. Sospetto, e un fondo di paura. Si era voltato di scatto, ora. Seguiva i movimenti di una giovane donna in jeans che aveva scambiato un cenno d'intesa con qualcuno dall'altro lato della piazza, forse il venditore di gelati in divisa bianca? O l'uomo di mezz'età con il giubbotto di pelle? Matteo sentí che la tensione dell'altro cresceva. Un attacco di paranoia? Bisognava recuperare, subito.

– Non è vero, è qui che ti sbagli, io credo che dovresti...

– Zitto!

Occhi di brace, sudore sulle labbra e sulla fronte, un tremore improvviso. Sí, un vero attacco, ma perché? Che cosa stava succedendo?

– Io ti ho dato la mia fiducia, – sibilò Zanetti, – e tu mi ripaghi cosí?

– Ma che dici?

Zanetti non lo stava a sentire. Arretrava, la mano scivolata nella tasca destra sicuramente per impugnare l'arma. Matteo si voltò di scatto. Ma quello... Ippoliti, in borghese, che si avvicinava cercando di scivolare inosservato dietro una famigliola di tedeschi. Una trappola! Lo avevano seguito, e adesso, con tutta quella gente...

– Mi hai tradito!

L'urlo di Zanetti. La pistola, con il silenziatore avvitato. D'istinto Matteo si gettò per terra. Zanetti afferrò una donna bionda e sparò un colpo d'avvertimento.

– Tutti giú! – gridò qualcuno. Matteo si rialzò. Zanetti ora teneva la pistola puntata alla tempia della donna, e se la trascinava dietro, cercando una via di fuga verso il nordest del parco, dove avevano ricostruito il Canal Grande, con tanto di affluenti e gondole.

Urla, confusione, gente che cercava scampo addossandosi ai muri della finta piazza, volti conosciuti di agenti intravisti in commissariato. Matteo si lanciò dietro Davide, ma la folla ondeggiava, in gruppi compatti, ora sbarrandogli la via, ora costringendolo a scartare per non essere travolto.

Finalmente sbucò sul Canal Grande. Zanetti aveva lasciato andare la donna, e correva, saltando sulle gondole, verso una non lontana uscita.

– Fermo! Getta la pistola e alza le mani!

Prosperi gli aveva chiuso l'accesso al Ponte dei Sospiri, l'ultimo passaggio prima del boschetto che moriva sull'Adriatica.

Davide si guardò intorno, finse di rassegnarsi, poi esplose due colpi in rapida successione. Matteo urlò. Prosperi si avvitò su se stesso, per afflosciarsi infine, lasciando scivolare la pistola. Zanetti lo scavalcò, ridiscese dal lato opposto del Ponte dei Sospiri e si dileguò nel boschetto. Matteo si precipitò sul vicequestore. Altri agenti continuavano l'inseguimento, ma la folla si era ricompattata formando una muraglia insormontabile.

– Chiamate un'ambulanza, presto!

Matteo teneva sollevata la testa di Prosperi. La camicia era intrisa del sangue che colava dai due grossi fori al centro dello stomaco.

– Ti ho fatto seguire... non ha funzionato.

– Andrà tutto bene, vedrai.

– Questa volta ho voluto fare io di testa mia...

Era svenuto. Sopraggiunse Ippoliti, l'aria sconvolta e desolata.

– L'abbiamo perso!

*Ancora una volta tradito, beffato! Sta scritto che senza l'espe-
rienza del tradimento né fiducia né perdono hanno senso, realtà.
Ma un figlio non può tradire! È contro l'ordine delle cose! Io sono furibondo per questo tradimento. Ma perché non ho lasciato che
la vendetta, che il giusto castigo si esercitasse, subito?*

*Se fossi l'assassino che loro credono... che anche lui crede... se
fossi la bestia, il bruto, il mostro... insomma, non l'ho punito come
meritava. Non ho vuotato su di lui il caricatore della Makarov, come
avrei potuto. Ho colpito Prosperi unicamente per garantire la mia preziosa libertà. Saprà egli valutare l'importanza di questa scelta? Il mare, il mare con il suo benefico sussurro placa lentamente la mia collera. È qui che ci siamo parlati la prima volta. C'è ancora la macchina
spazzasabbia, il rombo sordo del suo potente motore si confonde al
suono della risacca. Ordino un caffè americano e prego il cameriere di
procurarmi un pacchetto delle mie sigarette preferite, una marca antica, aromatica, difficile da reperire.*

*Strano che questo particolare non sia stato annotato da qualcu-
no dei diligenti cronisti che da giorni riempiono pagine e pagine con
i resoconti fasulli delle mie imprese. Mi hanno attribuito un paio
di violenze carnali che non mi sono mai sognato nemmeno di immaginare. Lui ha smentito, ma i giornalisti insistono. Lui ha smentito perché mi conosce, sa che non sarei mai capace di... ma i giornalisti insistono! Tutto ciò è oltremodo seccante. Dovrò scrivere
una lettera di rettifica. Non è solo una questione d'immagine, come pure potrebbe apparire a un primo, superficiale giudizio. Lo stu-
pro è un atto che offende il Giusto Ritmo. Cosí come la consuma-
zione del sesso finalizzata alla ricerca del puro piacere. Uomini e
donne esistono in funzione della conservazione della specie. Ma i
padri non sanno piú educare i loro figli. Hanno delegato l'educazione alla Tv. I frutti dell'abbandono si fanno sentire nel tradimento del figlio. Ma seguire il corso dei pensieri mi ha aiutato a recuperare il controllo. Buono, questo caffè americano. Avrà notato,
lui, che abbiamo in comune persino la bevanda preferita? È per
questo che non gli ho sparato? Perché anche a lui piace il caffè americano?*

Mah. Non gli ho sparato perché, nonostante tutto, ho ancora dei progetti su di lui. Dovrò concedergli una seconda occasione. L'ultima occasione. Non posso ammettere di essermi cosí clamorosamente sbagliato sul suo conto. È stato ingannato? Può essere. Fu complice? Lo saprò presto.

Accendo una sigaretta, lascio una mancia esagerata a questo cameriere gentile che s'inchina... un marocchino, forse, o un turco... In questa gente antica sopravvive un rispetto dei padri che noi abbiamo perduto. Certe volte mi chiedo se piuttosto che punire le singole figlie degeneri non sarebbe stato piú consono alla Legge dei Padri procedere a vaste epurazioni negli ambienti di per sé infetti: la scuola, l'informazione, la pubblicità. Strane idee, idee pericolose mi attraversano la mente. Sento vacillare la metodica risoluzione che per tanti anni mi ha sorretto. Vagheggio un olocausto finale. Roghi sul litorale, e masse umane carbonizzate... Questi sono gli effetti del tradimento del figlio.

Ma ho un cuore grande. Ho già dimenticato. Un granchio risale faticosamente la corrente. Aiuto il suo disperato sforzo per abbandonare la battigia, consento che si rifugi nella calda protezione delle fredde acque invernali. Lo vedo scavare furiosamente nella sabbia. Non lo vedo piú.

E ora, pensiamo alla prossima mossa.

Prosperi uscí dalla sala operatoria alle cinque del mattino. L'intervento era durato dodici ore. Il vicequestore era stato fortunato: i colpi non avevano leso organi vitali. Ora gli occorreva un lungo riposo. Durante l'interminabile attesa, segnata da una processione di angosciati poliziotti e dai bollettini di Anna, l'unica ammessa nell'area sacra riservata al personale medico, Matteo scoprí che nella precedente vita di Prosperi c'era anche stata una moglie. La madre di Mirella, una signora di mezz'età piuttosto ben messa, dall'aria solida e combattiva, aveva passato tutto il tempo a consolare la figlia e a illustrare le qualità dell'ex marito. Dopo il divorzio, non si era piú risposata. Lei e Federico continuavano a vedersi regolarmente: vivevano separati, e le cose andavano molto meglio che durante la convivenza. Altre informazioni aveva appreso Matteo durante la notte: che il Figlio dei fiori si era allontanato dalla Italia in Miniatura a bordo di un camper con targa tedesca che aveva poi abbandonato all'altezza dello stabilimento Rivabella. Che Mirella aveva definitivamente rotto con Rolando, pur essendo fermamente intenzionata a tenersi il bambino. Che Anna (ora gli stava davanti con il camice verde macchiato di sangue e gli occhi stanchi) era diventata una presenza importante nella sua vita.

La ragazza non fu sorpresa nel sentirselo dire, e con il suo solito stile franco se lo portò a casa, dove finirono prima sotto la doccia e poi a letto. Dopo, lei si abbandonò a un sonno feroce, e Matteo, incapace di trovare pace, se ne ritornò a casa.

La sua vita stava esplodendo, tutto d'un colpo. Si erano messi in moto processi ingovernabili che per anni e anni si era illuso di poter tenere sotto controllo. L'amore e la morte cessavano di essere seduzioni investigative e diventavano vita vera. Il ruolo centrale, in tutto questo, apparteneva a Davide Zanetti. Comunque fosse andata a finire questa storia, sentiva di essere nel cuore di un cambiamento irreversibile.

Era appena rientrato in casa quando squillò il telefono.

– Sí?

– Ciao, Matteo, come stai? Come sta il nostro caro vicequestore?

– Davide... dove sei?

– Dove sei, dove sei, non sai domandarmi altro?

– Abbiamo un discorso in sospeso...

– Sí, ma non credo che sia il momento giusto. Sei troppo stanco, nervoso, dev'essere stata una notte difficile. Sí, ho scoperto un'altra cosa che abbiamo in comune: anch'io quando sono agitato non riesco a fare le cose piú semplici, come aprire il portone di casa.

Era proprio quello che gli era appena successo: le chiavi gli erano sfuggite di mano, aveva armeggiato a lungo con la serratura, prima di riuscire ad aprirla. Ma come faceva Davide a saperlo? Matteo posò la cornetta sul divano-letto e corse alla fi-

nestra, si affacciò e lo vide subito: inconfondibile, con il giubbotto e uno zuccotto di lana blu in testa, dall'altro lato della
strada, nel giardinetto, tra mamme che chiacchierano e bambini che giocano, seduto su una panchina, con a fianco un bambino intento a giocare con... con una delle sue marionette, un
Pulcinella o un Balanzone. Davide alzò lo sguardo, agitò il telefonino e passò una mano sulla testina ornata di boccoli biondi. Affetto, minaccia... era un attento regista dei loro incontri,
Davide, un abile burattinaio. Ma era importante che avesse cercato nuovamente il contatto. Continuava a fidarsi di lui. Voleva fidarsi di lui. Matteo tornò al telefono, e si spostò con l'apparecchio accanto alla finestra.

– All'Italia in Miniatura sono stato un po' impulsivo, Matteo...

– Io non ne sapevo nulla...

– Sí... dopo lunga riflessione mi sono convinto anch'io. In
fondo, è per questo che ti ho chiamato. Eri sincero, quando hai
detto che volevi aiutarmi?

– Sí.

– Voglio darti una seconda possibilità!

– Dove? Quando?

– Presto, figlio mio, presto.

Davide troncò la conversazione. Accarezzò ancora il bambino, sotto lo sguardo compiaciuto di una baby-sitter di colore,
poi si alzò, e sventolando il telefonino all'indirizzo di Matteo
si avviò, attraversando senza fretta i giardinetti.

9.

– Notizie del commissario Colonna?

Nella domanda della Rubino c'era un tono che la fece quasi arrossire. Matteo piaceva all'ispettrice, era chiaro. Ma era anche chiaro che lui non si era nemmeno accorto della sua esistenza. Uomini, donne, cercarsi, sfuggirsi.

– No, nessuna notizia.

Non nelle ultime due ore, almeno. Povera ispettrice Rubino! E... povera Anna? «Stai diventando importante» le aveva detto Matteo. Sí, anche per lei era la stessa cosa: stava diventando importante, quel poliziotto con i suoi begli occhi scuri e quell'aria tra l'impacciato e il saccente dietro cui si nascondeva la passionalità compressa di un bambino lasciato troppo a lungo solo. Aveva un futuro, la loro storia? Forse sí, forse no: appartenere alla generazione che ha trent'anni nel Duemila significa non interrogarsi troppo sul futuro. Prendersi, lasciarsi. Ma Matteo è cosí serio, in certe cose. E lei? È ancora tempo di giocare? Con tutto quello che sta accadendo in giro? E poi: chi è Matteo? Com'è veramente Matteo? Ma ancora: importa poi tanto saperlo. Prima?

– Stiamo confezionando i *cierre*, se vuole può darci una mano.

Piantato davanti al tavolo delle riunioni, Ippoliti estraeva da uno scatolone gli oggetti piú strani, e li infilava in bustine di plastica. A ogni oggetto la sua busta. A ogni busta un numero d'ordine e una lettera. A ogni numero e lettera una targhetta con la descrizione del reperto, che l'ispettrice Rubino preparava al computer. *Cierre*, Corpi di Reato. C.R. 45966: dodici flaconi di Cardiazol; C.R. 45967: un Pinocchio di legno; C.R. 45968: segreteria telefonica marca Phonobox, matricola xz756. Si dà atto che l'apparecchio si presenta privo di fili elettrici e che al suo interno è inserita una microcassetta marca Sony...

– Questa è tutta roba del padre del commissario, – aggiunse Ippoliti, per poi correggersi immediatamente. – Del signor Zanetti, volevo dire...

– Ippoliti! – lo redarguí secca la Rubino.

Ma l'agente non la stava a sentire. E rigirava tra le dita un metro di pellicola che era sbucato fuori dalle pagine di una vecchia edizione di *Cosí parlò Zarathustra*.

– È una coda di superotto, – disse Anna.

– Sí, – confermò la Rubino, – dev'essere di quel filmino che Zanetti ha dato al commissario. Sa, dottoressa, che lui l'ha voluto rivedere?

– Com'era? – chiese Anna.

– Non l'ha mai visto?

– No.

– Be', – sorrise l'ispettrice, – lui... il commissario Colonna mi aveva detto di gettare tutto, ma io ho conservato la copia. Se vuole...

Ippoliti recuperò il proiettore e l'ispettrice, con forbici, colla e nastro adesivo, realizzò al volo una giuntura artigianale. Quando la coda fu attaccata al fondo della bobina, Ippoliti spense la luce. La Rubino accese il proiettore.

Sulla parete apparvero le immagini dell'albergo Faro d'Oriente e quello splendore di ragazza spensierata. Anna si sentí afferrare da una forte commozione. Cosí lei era la madre di Matteo. Che cos'aveva significato per lui perderla? Che cosa significava, per un bambino, perdere la persona piú amata? La madre di Anna viveva a Bologna. Aveva sessantatre anni, frequentava l'Università della Terza Età e navigava tre-quattro ore al giorno su Internet. Divideva l'appartamento di via Zamboni con un cucciolo di Cavalier King Charles a cui aveva imposto il nome di Beckett e passava i fine settimana a Vignola dal professor Bettarini, «nient'altro che un vecchio caro amico».

Suo padre era morto quando lei aveva ventidue anni. Ma anche dopo di allora la sua era sempre rimasta una famiglia *normale*. Per Matteo tutto doveva essere stato terribilmente difficile. Non permetterò mai piú che resti solo, mormorò tra sé Anna, e poi, in un guizzo d'ironia, si sorprese a pensare: siamo già cosí avanti, dunque?

– Ecco, qui s'interrompeva la copia. Vediamo che cosa c'è sulla coda.

Primo piano di Laura sorridente, ancora bagnata dopo il tuffo. Parete bianca. Nuova immagine di Laura. Si asciuga i capelli. Alle sue spalle un'ombra. Un giovane con i capelli lunghi. Si avvicina. Le chiude gli occhi dalle spalle, lei si volta, si abbracciano. Quel ragazzo con i capelli lunghi... ma non era... chi diavolo baciava la mamma di Matteo?

– Può tornare indietro, per favore?

Anche la Rubino si era resa conto dell'anomalia di quella scena: imprecando a mezza voce, aveva fermato l'immagine, e, accesa nuovamente la luce, stava fissando l'altra parete, dove campeggiavano le foto delle vittime e i ritratti invecchiati da Roberto Fernandez con il Morphing Plus. Solo Ippoliti continuava a non capire, eppure anche nel suo sguardo limpido c'era come un'ombra di perplessità. La bobina si riavvolse e le immagini ripartirono. Laura. I capelli. L'ombra. Il giovane. Il bacio. La Rubino bloccò l'immagine sul primissimo piano del ragazzo che stava per baciare Laura. Tornò a fissare le foto alla parete, Anna si era seduta alla scrivania, e aveva preso a rovistare tra gli incartamenti ammucchiati accanto ai corpi di reato.

– Guardi qua, ispettrice! È la stessa persona!

Sí, era la stessa persona. Il ragazzo con i capelli lunghi, quello cerchiato di rosso nella foto scannerizzata da Roberto, quello accanto a Davide Zanetti... Alessandro Bertocchi... quello che avevano creduto l'assassino... baciava la madre di Matteo... Bertocchi...

– Ecco perché Zanetti aveva tolto questo pezzo di filmino! Già! Se Matteo l'avesse visto avrebbe capito che lui...

– Che lui non è il suo vero padre.

- E chi sarebbe allora il padre? - protestò Ippoliti.
- Ma Bertocchi, è chiaro!
- Mi volete spiegare una buona volta? Che c'entra Bertocchi? Non è quello che stava con la madre di D'Ottavi, la prima vittima?
- Sí, sí, ma questo filmino è precedente - sintetizzò la Rubino, concitata. - Allora, ricapitoliamo: Zanetti dà a Matteo un filmino di Laura. Sarebbe la prova che lui è il padre. E invece, nel pezzo mancante si vede che Laura bacia Bertocchi. Hai capito, Ippo? Laura fa l'amore con Bertocchi. Dunque, Bertocchi è il padre di Matteo...
- E come fa Zanetti ad avere il filmino, allora?
- Cristo, Ippo! Sono amici, no? Sono tutti e tre amici! Zanetti sa tutto di Laura, di Bertocchi, del piccolo. A un certo punto, Laura se ne va a Milano. Pianta Bertocchi e si porta via Matteo. Passa un po' di tempo. Bertocchi si mette con la madre di D'Ottavi. Zanetti la uccide. Fa ricadere la colpa sull'amico e subito dopo lo elimina. Per tutti questi anni aiuta Matteo. Poi, quando lui viene mandato qui a Rimini...
- Sa tutto di lui, - concluse Anna, trasognata. - Si è appropriato del suo passato. E di quello di Bertocchi... Ma perché?
- Porco cane! - realizzò Ippoliti.
- Non so perché, - sospirò la Rubino, afferrando il telefono e digitando un numero. - Ma so che Matteo è stato ingannato... tutti siamo stati ingannati. Bisogna che lui sappia... Non è in casa!
- Io sono di turno, - disse Anna, avviandosi verso l'uscita.
- Se lo rintracciate prima di me ditegli di chiamarmi. Subito!

Medicina legale? Secondo piano, giú in fondo al corridoio poi a sinistra, c'è un ascensore per il pubblico. Grazie. Si figuri. L'uomo si volta. Lo colpisco alla base del collo, un colpo secco, preciso. L'ho imparato da soldato. Ridevano tutti, quando presentai domanda alla Folgore. Poi videro i risultati dei test e il riso morí nelle loro gole. Lo trascino nel magazzino, lo spoglio dell'uniforme,

un camice bianco piuttosto pulito, e prelevo la targhetta: infermie-
re specializzato Tarquini. È pressappoco della mia taglia. Mi calco
sulla fronte una berretta verde e inforco un paio di lenti color rosa
tenue. Lo lego mani e piedi e lo imbavaglio per precauzione. Rin-
verrà in una mezz'ora, e io sarò già lontano.

Sistemo la pistola nella tasca destra e la siringa già preparata nel-
la sinistra, prelevo una barella, ci metto su un lenzuolo e una co-
perta, mi richiudo la porta alle spalle. Nel montacarichi, scambio
un sorriso professionale con il vecchio col catetere e la donna sfio-
rita dagli stopposi capelli biondi, forse sua figlia. Mi chiedono do-
ve sia urologia e li mando al quarto piano. Ringraziano. Io mi fer-
mo al secondo. Corridoio. Controcorridoio. Ampia vetrata di cri-
stallo. Medicina Legale. Un altro corridoio. La porta con la
targhetta. Busso.

— Sì?
— Un'emergenza.

Viene ad aprirmi proprio lei, Anna De Angelis. Mi fissa, dap-
prima incuriosita. Le ci vuole una frazione di secondo per riconoo-
scermi. Approfitto dell'esitazione per colpire prima che abbia il tem-
po di gridare. Lei crolla. Entro, tirandomi dietro la barella. La sol-
levo da terra e ve l'adagio, richiudendo sulle gambe la gonna che
s'è scomposta nella caduta. Sollevo delicatamente la camicetta, cer-
co la vena, inserisco l'ago. La paracodina fluisce. Assicuro le cin-
ghie al corpo, la copro con un lenzuolo. Squilla il telefono. Con
molta calma, mi impadronisco della cornetta.

— La dottoressa Anna De Angelis, per favore.
— Matteo! Sei proprio tu, che combinazione! Ti avrei chiama-
to io, tra un po'...
— Dov'è Anna? Che cosa le hai fatto?
— Niente... per il momento. Ascoltami bene: volevi aiutarmi,
no? Ecco la tua seconda possibilità: io devo sparire. Per me qui è
troppo pericoloso. Sta a te trovare il modo. Non mi deludere...
— Lascia andare Anna e ci metteremo d'accordo.
— Anna è la mia assicurazione sulla vita. Sbrigati, figlio mio, ti
aspetto dove ci siamo visti la prima volta. La prima!

Be', quando si dice il caso. Io cerco te, tu cerchi me, lei cerca lui,

lui cerca lei... canticchiando ripercorro il corridoio, torno al monta-
carichi, attendo che raggiunga il piano, ci entro con tutta la barella,
premo il pulsante del sotterraneo. Fin qui tutto bene. Attraverso il
garage riservato al personale e raggiungo l'ingresso di servizio del pron-
to soccorso, dove di solito è parcheggiata un'ambulanza di scorta...
bene. Anche questa volta non mi sono sbagliato, e tutto ha funzio-
nato a dovere. D'altronde, quest'ospedale non ha segreti per me. E
comunque, tutti gli ospedali del mondo si assomigliano. Apro il por-
tellone posteriore, faccio scivolare la barella, la fisso agli appositi gan-
ci laterali, richiudo, faccio il giro dell'automezzo, siedo al volante,
inserisco la chiavetta. A proposito: lo sapevate che negli ospedali le
ambulanze hanno sempre il pieno e non sono mai chiuse a chiave?
Non si sa mai, un'emergenza... e lo sapevate che con un ferro ritor-
to una persona in gamba può mettere in moto un'auto. Qualsiasi au-
to? Si chiama spadino. *Imparare ad usarlo è solo questione di meto-*
do... e di esercizio, naturalmente.

Ricambio il saluto del portinaio, procedo a passo d'uomo per
la rampa che immette sulla pubblica via, stando ben attento a da-
re la precedenza a chi viene dalla mia destra e... bene, sono sulla
strada, ormai. Ho ancora un bel po' di cose da fare: sistemare la
sacca per il viaggio, alloggiare in modo adeguato la mia preziosa
collaboratrice, la dottoressa Anna De Angelis, preparare la cena e
scegliere un vino adeguato alla cerimonia degli addii. E poi, natu-
ralmente, attendere... Uh, che razza di traffico! Dev'essere il fine
settimana, o qualcosa di simile. Odio le feste, odio perdere tempo.
Accendo la sirena e mi metto a sorpassare da destra quelli che non
si scansano con adeguata rapidità.

Il tramonto calava sul lungomare, accompagnato dalle grida
stridule dei gabbiani in volo radente che preannunciavano un'altra notte di pioggia. Matteo si avvicinò alla collega che lo seguiva da un'ora e le chiese affabilmente se aveva voglia di bere
qualcosa con lui. La poliziotta, una ragazza dagli occhi verdi e
dal sano colorito campagnolo, finse di non capire l'italiano e di-
stolse lo sguardo.

– Volevo solamente informare te e il tuo collega, – disse lui, indicando il corridore in tenuta da jogging che da venti minuti batteva avanti e indietro lo stesso tratto di spiaggia compreso tra una catasta di palanche marcite e un capanno di rimessaggio, – che sto per entrare al Kursaal a bere un caffè americano...

Si avviò all'albergo dove era stata uccisa la Maltese. Non perché fosse quello il luogo prescelto da Davide per l'appuntamento. No. Andava al Kursaal per via dell'uscita di servizio che affacciava direttamente sulla spiaggia e del motoscafo che aveva visto ormeggiare un'ora prima. Perché faceva parte del suo piano.

Entrò in albergo e andò a sedersi al bar. Dalle vetrate si gustò la scena della poliziotta che correva a informare il collega, il loro breve conciliabolo, la decisione di lui di seguirlo all'interno dell'hotel, mentre lei restava fuori di guardia.

Il poliziotto entrò trafelato, guardandosi intorno. Vide Matteo, che agitò una mano in segno di benvenuto, e prese posto in una poltroncina a fiori a pochi passi da un corpulento turista americano che se la russava della grossa, sotto lo sguardo costernato di una moglie indignata. Il commissario ordinò il suo caffè americano e finse di concentrarsi nell'ultimo numero dell'«Espresso».

La moglie del turista scosse il marito e lo spedí a male parole nei bagni. L'uomo si avviò caracollando. Matteo seguí la scena.

A seguirlo erano sempre in due. Turni di quattro ore. Sorveglianza blanda e visibile: stavano dalla stessa parte, dopo tutto. Per quanto fuori gioco, era stato Prosperi stesso a confermare l'ordine di pedinamento. Prima di sapere di Anna, Matteo era stato a trovarlo in ospedale. Il vicequestore gli aveva chiesto scusa per la maldestra azione dell'Italia in Miniatura. Ma non aveva cambiato idea sulla procedura: Matteo era fuori e fuori doveva restare. Sorvegliato ventiquattr'ore su ventiquattro. Poi Davide aveva preso Anna e gli aveva proposto quel nuovo enigma: ti aspetto dove ci siamo visti la prima volta. Non era solo gusto per lo spettacolo: Davide sapeva che i telefoni si mettono facilmente sotto controllo. E voleva essere certo che solo lui capisse il senso del suo messaggio.

Bene, l'aveva capito, anche questa volta. E questa volta non avrebbe commesso errori. Perché ne andava della vita di Anna. Della sua Anna.

Il turista tornò a sedere accanto alla moglie, e i due cominciarono subito a litigare. Matteo si guardò intorno. Poca gente, nella hall. Nessuno che sembrava intenzionato a far visita alla toilette. Decise di agire.

Finí di sorseggiare il caffè, soppesò le due pistole che gli gonfiavano le tasche, la sua Beretta d'ordinanza e quella di Roberto, prelevata dal cassetto dell'amico in centrale, dove tutti erano in preda al panico e nessuno faceva caso a lui, ormai *fuori* dall'indagine, e si avviò alla toilette. Il pianista attaccò *Ruby my dear* del grande Thelonius Monk. Matteo cercò lo sguardo del poliziotto in tenuta da jogging e lo invitò a seguirlo nei bagni. L'uomo si alzò sbuffando. Matteo attese che l'altro gli si facesse vicino, spalancò la porta e la tenne aperta per farlo passare avanti. Si avviarono. Matteo chiuse la porta alle sue spalle. I bagni erano deserti.

– Senta, commissario, lo so che è una situazione antipatica, ma si metta nei miei panni. Io...

Matteo sorrise, allargando le braccia, e lo colpí con un pugno violentissimo, un solo colpo alla bocca dello stomaco. Prima che il collega potesse riprendersi dallo stordimento, gli fu addosso, lo perquisí, si impossessò della trasmittente, lo trascinò in un cesso e lo chiuse dentro.

– Commissario, se non la chiamo ogni quattro minuti, Adele s'insospettisce e viene a cercarmi...

– Quattro minuti saranno piú che sufficienti.

– Commissario, cosí mi mette nei guai!

– Non ti preoccupare, ti aiuterò io a scrivere il verbale.

– Commissario!

Uscí dai bagni e senza rientrare nella hall scese la rampa di scale che portava al garage. Vi penetrò dalla porta serrata dal maniglione antipanico, attraversò il garage, e ripercorrendo a ritroso la strada che lo aveva portato al primo contatto con il cadavere di Francesca Maltese si ritrovò nella spianata dove, una vita fa, era atterrato con l'elicottero. Da lí al porticciolo c'erano cinquanta metri di terreno scoperto.

Era questo il vero pericolo: che l'agente di guardia si accorgesse di lui mentre era allo scoperto. Ma tutta l'azione si giocava su un preciso calcolo dei tempi: la donna, ormai, visto il silenzio del collega, doveva essere entrata a cercarlo nel Kursaal. Sí, era andata proprio cosí. Via libera. Matteo saltò nel motoscafo, sciolse la cima, divelse la scatola del cruscotto, collegò i due fili dell'accensione e poi tirò la corda del motore.

Si accese al primo colpo. A luci spente e a basso regime, manovrò per uscire dal porticciolo. Il messaggio di Davide gli era stato immediatamente chiaro. Il motoscafo, che aveva visto ormeggiare senza che il proprietario ritirasse il motore, un autentico colpo di fortuna.

Fu solo quando ebbe raggiunto il centro della piccola baia che si rilassò.

Nel vespro che si andava gonfiando di pioggia, i suoi angeli custodi erano due sagome incerte in piena lite, e l'uomo del motoscafo nient'altro che un puntolino nell'oscurità, a malapena visibile dalla riva.

Arriva. In barca. Un motoscafo, si direbbe. Bravo, bravo ragazzo! Eccolo che si accosta a basso regime al pontile diroccato, si guarda intorno in cerca di una bitta, la trova, spegne il motore, lancia una cima, accosta... La dottoressa mugola. Distolgo lo sguardo dalla scena. Ma è mai possibile che queste donne non capiscano quando è il momento di tacere. Mi sono tenuto troppo basso con la dose? Il nastro con il quale mi sono garantito l'esenzione dai suoi latrati sembra a posto... mi avvicino al vecchio letto sul quale si agita negli ultimi spasimi del suo sonno drogato. Un po' di pazienza, dottoressa, mi dispiace, ma dovrà dormire ancora. Preparo la siringa. Mi chino su di lei. Ma... ma che... la cagna... fingeva di dormire... un calcio al basso ventre. Annaspo, piegato in due dal dolore. Maledetta, maledetta cagna... se non avessi stretto un accordo con lui io... fugge... dovevo legarle anche le caviglie, cagna male-

*detta... mi rialzo e mi lancio anch'io nel corridoio. Per fortuna non
s'è accorta che la pistola mi era sfuggita di mano. Purché lui non
la trovi prima di me. Sarei perduto, in tal caso. La dottoressa cor-
re, sento i suoi passi, sono sopra di me... è salita di un piano... cerca forse di raggiungere il tetto? Oh, un calcio... una porta che si
apre di schianto... ho capito dov'è... in fondo al corridoio del secondo piano... c'è un'uscita di sicurezza... Mi avvio senza fretta...
lei percorrerà venti, trenta metri, poi una svolta a sinistra e si troverà davanti a un muro! Sono anch'io al secondo piano, dal lato
opposto del corridoio. Non ha via di scampo. Il dolore sta passando. Bene. Ha trovato il muro. Torna sui suoi passi. Tic tac tic tac,
tra qualche secondo sbucherà dietro quella svolta, tic, tac, tic tac.
Fine della corsa, dottoressa! E adesso vieni con me, cagna bastar-
da. Non c'è piú tempo. Lui dev'essere già entrato...*

– Benvenuto, figlio mio, ti stavo aspettando.

Il salone dei ricevimenti dell'albergo Faro d'Oriente rigurgi-
tava di fregi, luci, specchi e lampadari. La grande tavola imban-
dita per due, con la tovaglia bianca di pizzo, i calici di cristallo e
gli elegantissimi piatti neri, formava un contrasto irreale con la
desolazione dell'ambiente: pareti scrostate, segni di polvere dove
un tempo erano stati appesi dei quadri, candelabri con mozziconi
di candele, tavolini e sedie tarlate accatastati contro uno specchio infranto. Dove un padre incontra per la prima volta suo figlio. Dove tutto è cominciato...

Matteo avanzava con la pistola in pugno. Davide sedeva al
centro del tavolo. Accanto a lui Anna, l'arma puntata contro la
tempia.

– Stai bene?

Anna fece cenno di sí.

– Appoggia a terra la pistola, Matteo... lentamente... e fal-
la scivolare fin qui... bravo! E adesso, accomodati pure.

Matteo restò in piedi. Davide si versò del vino.

– Chablis. Un vino nobile. Il preferito di Hemingway.

Davide riempí un altro calice.

– Lasciala andare,– sussurrò Matteo. – Lei non c'entra.

– Si capisce che non c'entra! Vino? O preferisci... cocktail di scampi? Salmone affumicato? Avevo in mente del branzino al forno, ma purtroppo le cucine qui sono un po' fuori uso, sai com'è, dopo tutto questo tempo...

Matteo afferrò il bicchiere e lo scagliò contro una parete.

– Smettila con questa pagliacciata! Ho fatto quello che mi avevi chiesto. Liberala e vattene.

– Mi dispiace, – rispose calmo Davide, – ma tu capisci, ho ancora bisogno di lei. Però, – aggiunse, scuotendo la testa, – ci tieni davvero a questa ragazza!

Davide sorseggiò lo Chablis, poi, con la canna della pistola, massaggiò la tempia di Anna.

– Siediti!

Matteo obbedí. Davide sorrise, compiaciuto.

– Sai... mi ricordo una sera di tanti anni fa... il sette febbraio 1970... l'hotel era quasi deserto... Tu stavi nascendo qui accanto e io ero seduto piú o meno dove mi trovo ora... non sai com'ero nervoso... Non riuscivo a buttar giú nemmeno un bicchiere d'acqua... per fortuna andò tutto bene...

Che cosa stava cercando di dirgli Anna? Perché scuoteva disperatamente la testa? Davide teneva gli occhi socchiusi, come assaporando la musica dolce di un lontano ricordo... Si stava rilassando. Si fidava ancora di lui. Matteo trasse un profondo sospiro.

– Adesso sei tu che non ti fidi di me.

Davide lo squadrò, meravigliato dall'audacia del suo tono.

– Sí – riprese Matteo. – Mi hai chiesto di ascoltarti, di comprenderti, di aiutarti... ma in fondo cos'è che volevi da me? Solo una stupida barca per scappare, vero?

– E allora?

– Mi hai deluso.

– Io non scappo. Io devo continuare a fare ciò che è stato solo momentaneamente interrotto. La mia missione, Matteo! E se tu non fossi cosí cieco, mi seguiresti.

Ah, era questo, dunque. L'umano desiderio del padre: che

il figlio prosegua la mia opera! Davide finí di sorseggiare il suo vino, afferrò Anna, si alzò di scatto.

– Non ti lasceranno andar via, – proseguí Matteo, restando seduto – al largo è pieno di motovedette. A quel punto che farai? Tu non ti arrendi e loro ti ammazzano. È questo che vuoi?

Davide sfoderò un sorrisetto sarcastico.

– Be', io no! – concluse Matteo, con forza. Davide sospirò.

– Non mi fermerà nessuno... perché nessuno sa dove sono. Perché tu non l'hai detto a nessuno... lo sai anche tu che quello che faccio è giusto... è giusto...

Non mi seguirà. Il suo sguardo, il suo tono sono stati definitivi. Non mi seguirà. Ah, figlio! Possibile che tutto sia stato inutile? Mentre li guido verso il moletto, sono lacerato da una catena di possibili combinazioni. Portarlo via con me, a forza. Abbandonarlo qui per sempre. Insieme alla sua cagna. Ma lasciarli vivi? O punirli, tutti e due? Oh, so che non potrei mai fargli del male. Una legge antica me lo vieta. Egli per me è sacro... sacro... e il suo può definirsi un tradimento? No. Mi ha obbedito. Si è spinto forse sino al punto di massima rottura che la sua cattiva educazione gli ha concesso. Egli per me resta sacro... sacro... la luce lontana del faro illumina a intermittenza la bitta, la cima, il motoscafo che ondeggia quieto sulle acque nere... sembrava che dovesse piovere, e invece si profila una stellata imprevista... faccio salire a bordo la dottoressa. C'è una via intermedia? Salvare lui e condannare lei? Perché? Se l'ho perduto, ormai... Ecco, l'elica è in acqua. Gli ordino con un cenno di sciogliere la cima. Matteo si china sulla bitta, fruga nel sartiame, afferro la cordicella della messa in moto, ma il motore non risponde...

– Fermo o sparo!

Mi volto lentamente... Matteo... un'arma tra le sue mani, è piegato sulle ginocchia, in posizione di tiro... un'arma... l'ha nascosta tra le corde, prima, durante l'attracco... era preparato, dunque... L'amaro sapore del tradimento nei suoi occhi determinati... no, non era cosí che doveva finire... ma ormai tutto è stato detto, consumato...

Afferro la cagna, gli urlo di gettare la pistola, Davide Zanetti muore in questo momento, muore il padre di Matteo, sia la morte per tutti. La cagna si libera con uno strattone, il rollio della barca mi fa ondeggiare, sono senza scudo, ora un colpo, due colpi...

    L'acqua sa di sale sa di sale il mare... sento come delle voci... una cantilena, un coro... bambini? Le poesie che recitavamo da bambini? La nebbia agl'irti colli | piovigginando sale | e sotto il maestrale | urla e biancheggia il mar... l'acqua sa di sale sa di sale il mare... la mia preferita era quell'altra, come faceva? Ah, quando partisti come son rimasta | come un aratro in mezzo alla maggese... Pascoli o Carducci? Possibile che li abbia sempre confusi? L'anarchico e il massone? La pudica vergine romagnola e il supermaschio toscano? Poeti... a Pascoli ammazzarono il papà, il papino, il papone... oh cavallina cavallina storna | che portavi colui che non ritorna... come cantavamo da bambini? L'acqua sa di sale sa di sale il mare... non mi sento più la spalla, non mi sento più la schiena... ha sparato su suo padre! Il suo... onore di poliziotto l'ha disonorato... la legge dei padri è infranta, il Giusto Ritmo cancellato per sempre... ma chi se ne frega... non rimpiango niente... si muore stringendosi le palle e invocando la mamma ma io non ebbi mai madre... voci lontane penetrano la massa liquida che mi sta trascinando nel profondo... «non era tuo padre, Matteo... non era tuo padre... tuo padre era Alessandro Bertocchi...» ... la voce della cagna... è lei che me lo sta portando via... vorrei vivere dieci nuove vite solo per fartela pagare, ma non esiste castigo così cruento, non esiste tormento così raffinato a paragone della crudele sofferenza che mi stai infliggendo... figlio, non figlio, figlio... che importanza ha? Non sei mai appartenuto a quella pallida ombra sbiadita che rispondeva al nome di Alessandro Bertocchi! Che cos'hai avuto da lui? Nulla! Che cos'avresti potuto avere da me? Tutto! Figlio... di chi è un figlio? Di chi lo ha concepito in un attimo di bestiale esaltazione dei sensi o di chi cerca di modellarlo a propria immagine e somiglianza nel rispetto della legge dei padri? Sí, tu sei mio figlio... lo proclamo nonostante il tuo tradimento... tu sei mio figlio, e nessuna pietosa bugia riuscirà a cancellare ciò che è stato tra noi, nessuna infame menzogna... tutto ciò che avrei desiderato dalla vita era un figlio come te... e se ingannarti era l'unico modo per averti... perché io ti ho amato come non avevo mai amato nessuno in questo mondo... figlio... stormi di uccelli neri | come esuli pensieri | nel vespero migrar... di chi sono queste braccia che mi tirano verso l'aria? Di chi questa stretta forte che con mano sicura impedisce al sipario di calare per sempre sui miei occhi stanchi, sul mio cuore ferito?

– Mi fa piacere rivederti – disse Prosperi, issandosi sulle stampelle e stringendogli la mano.

– Questo è per te – rispose Matteo, porgendogli il Cd. Prosperi lo rigirò tra le dita.

– Musica?

– Si chiama *compilation*. Sono alcune delle canzoni che preferisco.

– Bob Dylan... Leonard Cohen... Giuseppe Verdi... mah, mi sa che dovrò comperare un apparecchio.

Matteo sorrise. Con un grugnito soddisfatto, il vicequestore si rimise seduto. Un cameriere accorse premuroso a raccogliere le ordinazioni.

– Caffè americano.

– Non se ne parla nemmeno – sbuffò Prosperi. – Due ron... agricolo della Martinica... Te l'ho già detto, mi pare, che detesto bere da solo...

Il cameriere abbracciò con un'occhiata dubbiosa i due unici clienti del pomeriggio. Matteo si strinse nelle spalle e con un sorriso divertito dette via libera al ron.

Com'è andata con il giudice? – s'informò Prosperi.

– Secondo i periti lui è completamente sano di mente.

– Mi pare una cazzata!

– No, hanno ragione...

– Perché? Scannare sei donne e credersi la reincarnazione di Mosè non basta per essere pazzi?

– È qualcosa che ha a che vedere con... con il libero arbitrio. È una scelta.

Il cameriere tornò. Prosperi, quanto mai scettico, si tuffò nel liquido ambrato. Matteo prese il suo bicchiere, lo rigirò tra le dita, ci fece finire dentro un riflesso di sole, poi lo posò sul vassoio. Intatto.

– Come sta Anna? – chiese Prosperi.

– Combattiva, come sempre.

– Milano è una città dura...

– Rimini, invece... e Mirella?

– Come si dice? La dolce attesa...

– E il... sí, il padre del bambino?

– Rolando? In una comunità terapeutica. Sarà la quinta o la sesta volta. Tra due mesi scappa e ricominciamo daccapo!

Prosperi si accese un sigaro. La primavera portava sole, libeccio e odore di fresco. Sulle onde si avventuravano i primi windsurf. Bambini schiamazzavano felici sulla battigia rincorrendo un pallone coloratissimo. Un uomo con la barba bianca addestrava al riporto un grosso cane da pastore.

– Sai, Matteo, dopo questa storia mi aspettavo come minimo una medaglia...

– Davvero?

– Sí, quella di poliziotto piú stupido d'Italia.

– No, Federico, quella tocca a me.

– E invece a novembre mi fanno questore e rischio di finire a Roma, al Ministero... ma non mi dispiace... tu mi hai portato via Anna... la Rubino s'è fatta trasferire a Bologna. Dei vecchi qui ci resta solo Ippoliti, e francamente... no, meglio Roma... potresti venirci anche tu... con Anna, naturalmente.

Matteo tracannò in un unico sorso il liquore.

– Perché no? – disse, con la voce strozzata, cercando di ignorare l'incendio che si era acceso nell'esofago. – Neanche a me piace bere da solo...

Restarono per un po' in silenzio. Un lancio sbagliato mandò il bastone tra le gambe del tavolino. Matteo si alzò, lo raccattò, attese l'arrivo del cane e glielo consegnò con una carezza sul collo. L'uomo con la barba bianca agitò un braccio in segno di ringraziamento. Il cane ripartí di gran carriera. Matteo si voltò verso Prosperi, che lo osservava con gli occhi semichiusi, nascosto da una densa nube di fumo.

– Sei già stato a trovarlo?

– *Sono contento che tu sia venuto, Matteo.*
– *Parlami di lui...*
– *Lui chi?*
– *Andiamo, hai capito benissimo.*
– *Vuoi dire... Alessandro Bertocchi?*
– *Sí. Parlami di lui.*
– *Sono davvero molto contento che sia venuto a trovarmi.*
– *Non tergiversare, non ho molto tempo.*
– *I dottori dicono che resterò paralizzato. Una o due vertebre sono andate, e c'è la lesione al midollo... Comunque, le facoltà mentali sono rimaste integre.... cosí almeno dicono gli psichiatri...*
– *Parlami di lui.*
– *Sai, questo posto non è male. Ci si possono fare interessanti osservazioni. Il campionario umano è quanto mai vasto. Si incontrano tipi di ogni genere. Nella cella accanto alla mia, per esempio, c'è uno spacciatore di droga, un colombiano. Be', non ci crederesti, Matteo, conosce tutto Marquez a memoria... ma perché ti alzi? È già ora? Non andartene, ti prego...*
– *Se vuoi che resti, parlami di lui.*
– *Alessandro Bertocchi era il mio migliore amico... l'unico, per meglio dire. Era un ragazzo della sua generazione. Un tipo allegro, ma confusionario. Con la testa piena di sogni e di spinelli. Non era pronto ad assumersi le sue responsabilità, e cosí quando incontrò tua madre...*

T5 0089328617

E2313
ONDRA IL
PADRE
DE CATALDO G1

3° ED SLBIG
EINAUDI

Stampato per conto della Casa editrice Einaudi
Presso Mondadori Printing S.p.a., Stabilimento N.S.M., Cles (Trento)

C.L. 18695

Edizione						Anno			
3	4	5	6	7	8	2008	2009	2010	2011

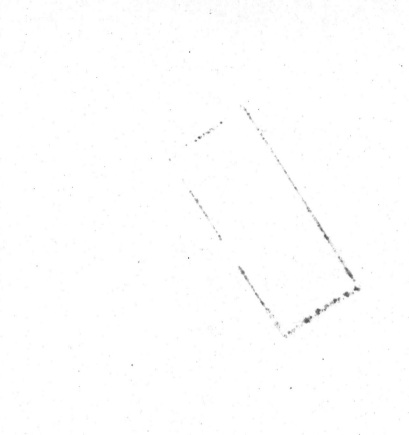